ずらり 料理上手の台所

お勝手探検隊・編

もくじ

4 米沢亜衣（料理家）
役どころを心得た、6つの小瓶

12 ケンタロウ（料理家）
男の台所はｎｏｔぴかぴか主義で

20 石井すみ子（主婦）
毎日の道具こそ、思いきってあつらえる

26 山本祐布子（イラストレーター）
ごちゃまぜなのに、なぜかすっきり

32 高橋みどり（スタイリスト）
働きものは手も口もよく動く

52 伊藤まさこ（スタイリスト）
ごちそうは朝の空気と野菜と果物

56 渡辺有子（料理家）
換気扇やガス台の五徳も、毎日掃除

62 深尾泰子（布小物制作家）
やかんのお湯まで丸見えです

68 高山なおみ（料理家）
台所は生きているから、日々の世話が大切

78 長尾智子（フードコーディネーター）
〝好ましい道具〟の集まるところ

84 大橋利枝子（スタイリスト）
とりあえず、みんなのチルドレン

88 ホルトハウス房子（料理研究家）
使いこんで、道具は美しくなる

102 高尾 汀（主婦）
手になじむ道具だけあればいい

108 塩山奈央（パタンナー）
家中あちこち、棚をとりつけ、ぶらさげる

112 山崎陽子（フリーランス・エディター）
衣替えの時期に"ちくちく"と

120 大谷マキ（スタイリスト）
トンカチ片手に、コツコツ作った台所

126 松長絵菜（料理研究家）
必要なものを必要なところに、美しく

136 柳瀬久美子（フードコーディネーター）
きっちりさんの青い台所

142 関 貞子（ギャラリー経営）
大切な道具は、なでてさすってかわいがる

［パリ編］

146 稲葉由紀子（エッセイスト）
新聞の料理コラムを切り抜いて20年

148 宮脇 誠（古物商）
電気とガスのコンロを使い分ける

［番外編］

38 鍋ふたつで男はここまで料理する
OさんとKさんの鍋のプロレス

50 そこまでするの？ 台所のまめまめ工夫①

66 食器や鍋を洗うもの、ふくもの

100 そこまでするの？ 台所のまめまめ工夫②

118 朝ごはん、こんな器でいただきます

134 そこまでするの？ 台所のまめまめ工夫③

150 おわりに

役どころを心得た、塩の入った小瓶が6つ。

米沢亜衣（料理家）

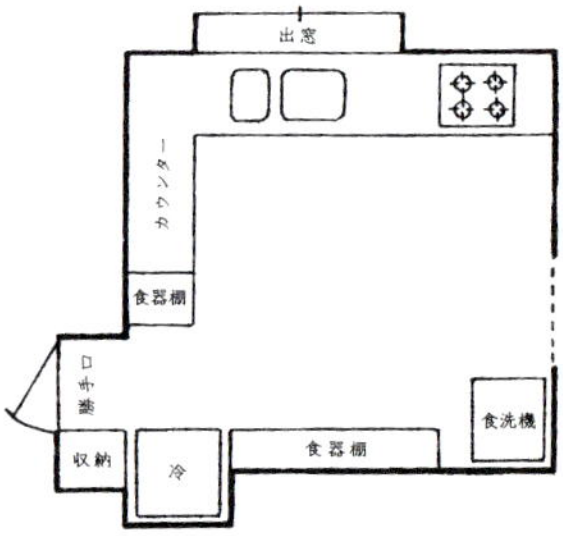

よねざわ・あい／年に数度、イタリアへ出かけ、土地の味、季節の味を追い求めて旅をする。著書に『イタリア料理の本』（アノニマ・スタジオ）など。東京・世田谷にて料理教室を主宰。床の雑巾がけ、レンジフードの掃除は毎日するなどかなりのきれい好き。

薄手のカーテンは母の手作り。ほかにも麻ひもで編んだ鍋敷きや、さらしのキッチンクロスも母に作ってもらった。

右・ミニトマトを半割りにして種をとってフランスの塩をふる。天日かオーブンでじっくり乾かしてドライトマトに。
上・メロンを半分にし、種とわたをざるでこし、果汁だけをとっておく。新しょうが１片の皮をむいてみじん切りにし、塩を少々、先の果汁、オリーブオイル少々をボウルで混ぜる。メロンの窪みにソースを戻し、白こしょうをひき、果肉に粗塩をふる。

うす暗がりのなかでカーテンがふわり風にゆれる。1年半ほど前、イタリア長期滞在から帰国して、米沢亜衣さんが住まいに選んだのは住宅街に佇む一軒家。この台所が決めてとなった。シンクに面した大きな窓。コンロの数も広さもじゅうぶん。黄色を基調とした台所はどこかあたたかで、うす暗がりの雰囲気も好みだった。「光にすべてさらされるより、ちょっと暗いくらいのほうが落ち着くし、いろんなものがきれいに見えるような気がして」。

淡い光を受け、米沢さんは真剣なおももちでぱらり、ぱらり、指の腹をこすり合わせるようにして塩の粒を落とす。新しょうがを合わせたメロンの前菜にフランスの粗塩をふっているのだ。「この塩はうまみが強いんです」。素材の味をぐっとひきたててくれる

右・いただきもののほか、自分でも試しに買ってみることが多い塩。袋から出し、瓶詰めにして引き出しに。下・築30年の家だが台所はおどろくほどモダン。壁２面が収納になっており、たくさんの食器がすべて収まっている。クロスはカウンターの上に吊るしておく。

上・出窓に並ぶ塩の小瓶（右端はこしょう）。右から韓国の粗塩、フランスの粗塩、フランスの細粒塩、日本の粗塩、韓国の細粒塩、海藻入りのフランスの塩（藻塩）。右・北イタリアの村で出会った犬「とうふ」の写真が並ぶ。ここで毎日のできごとをつらつら写真に向かって話しこんだりも。左・イタリアで買ったドイツ製のすり鉢。オリーブの木でできており、粗塩をひいたりこしょうをひいたり。

から、いろんなものの下味や仕上げに使うのだという。

出窓のスペースに並ぶ小さな壺や瓶。中身はぜんぶ塩だ。パスタを茹でたり、たっぷりの塩を使いたいときは韓国の粗塩、漬け物のときには日本の粗塩というようにふだん使いに用意している塩が6種類。シンク下の引き出しにも、いただきものや旅行の際に手に入れたいろんな土地の塩が出番を待っている。苦み、うまみ、香り、いろんな表情を持つ塩と素材との相性を見極めるようにして米沢さんはここで料理する。手を休め、窓の外を見ると、時折、猫が塀の上を横切る。振り返れば、イタリアで出会った愛犬「とうふ」の写真が見守ってくれている。イタリアと日本を行ったり来たりの米沢さんだが、当分の間はここが彼女の居場所になりそうだ。

アルミ、ほうろう、鋳鉄……、男の台所はnotぴかぴか主義で。

ケンタロウ（料理家）

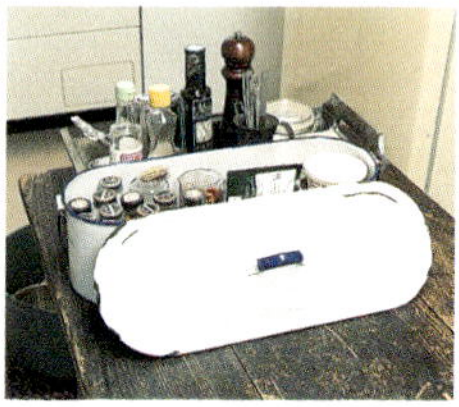

けんたろう／豪快でがつんとおいしい料理で知られるケンタロウさんですが、じつはラジオ番組を持っていたり（TBSラジオ「ケンタロウのおいしいラジオ」）、バンドを組んでいたり、さまざまなジャンルで活躍中です。著書も『つまみリスト』（文化出版局）、『ケンタロウのおいしいごはん 基本のABC』（講談社）など多数あり。

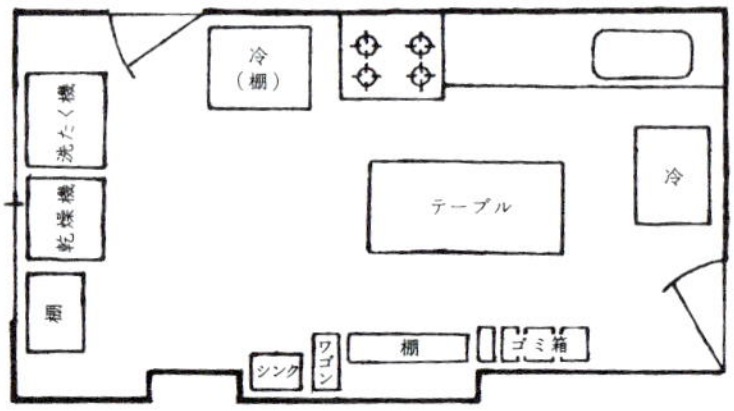

右奥にあるのが壊れた冷蔵庫。乾物や調味料
のストックなどを入れる収納庫として活躍中。

ワイヤーのかごを水切りかごにしたり、使ったあとのキッチンクロス入れにしたり。

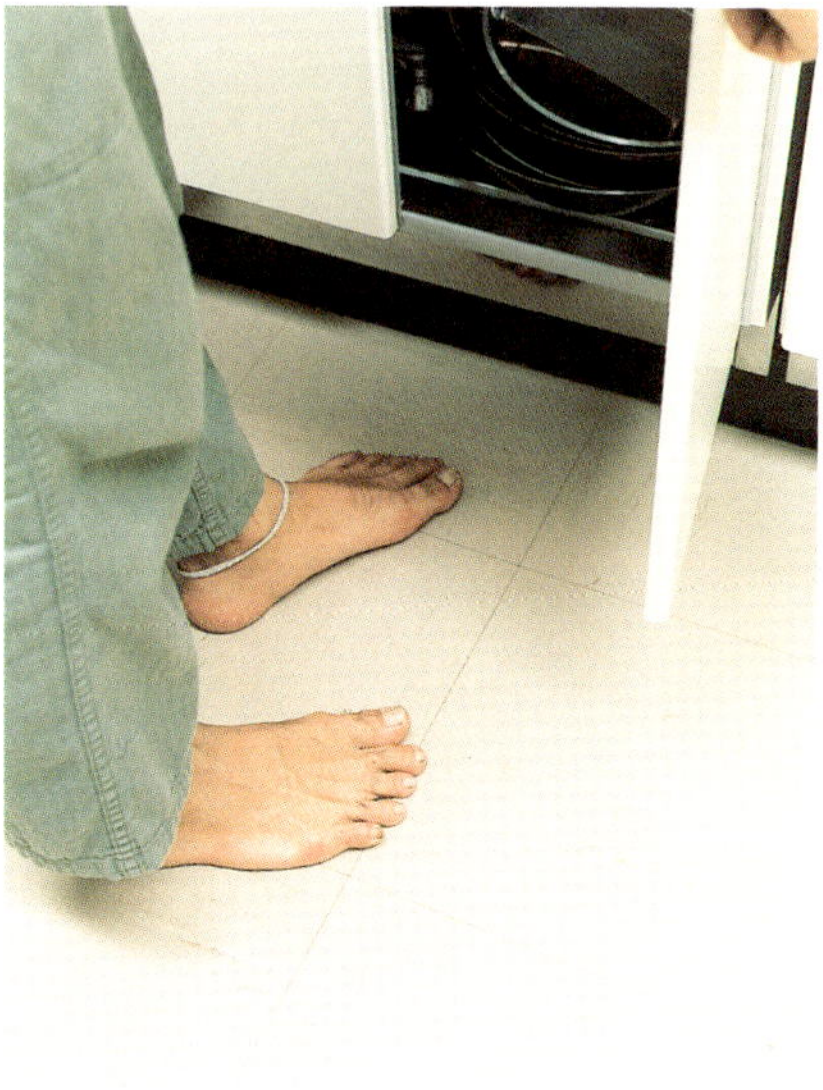

右上・アルミのパスタ鍋。子どもの頃、自分でパスタを茹でて食べていたとか。左上・食器も古い染付けなど味わいのあるものが多い。手前のアルミ鍋に、愛犬・黒太郎のごはんが入っている。左下・カツ代さんが見つけてきた大根おろし器。おろし金の下に薄い網がセットされて、自然に水切りされるというすぐれもの。これも実家から連れてきた。

She is watching something out of the window.
ESPRESSO
seal a' meal II

シンク上の扉を開いたら、色とりどりの鍋。
ほうろう、鋳鉄、アルミ、ステンレスなどい
ろんな素材の道具が並んでいる。じつはこの
ほかにもまだストックがあるとか。

「まあ、こんなところですが」とケンタロウさんが案内してくれたのは、引っ越して間もない自宅の台所だ。建物自体が昔は外国人用のマンションだったようで、台所というよりキッチン。衣類洗濯機、乾燥機が同居してもこの広さ。大型冷蔵庫も2台あって……と思ったら、奥の1台はずいぶん前に壊れたもので、今は収納庫として使っているそう。シンク上の戸棚にずらりと並んだ鍋はグレー、白、茶、黒、黄、赤、とにぎやかで、それぞれ使い込まれ、出番を待ちつつ肩寄せあう仲良しといった具合。古い木のテーブルに愛犬・黒太郎のフードが入ったアルミの鍋、ワイヤーを編んだ水切りかご。

「どうもおれ、素材感のあるものに惹かれるみたいで」とケンタロウさんが言うとおり、ぴかぴかの新人さんはこのキッチンにはあまり見当たらない。そのなかで、これだけは特別。手放せない！　というのがアルミのパスタ鍋だという。最近、実家で発掘してここへ連れてきた。「小学生の頃から使ってたんですけど、アメリカ製でなにしろ姿がいいし、使いやすい」。ペナペナになった風情も愛しく、のべ20数年のおつきあい。そんなケンタロウさんのキッチンでキラリ、光るアイテムがひとつ。それは包丁だ。職業柄、月に一度はプロに研いでもらい、切れ味は常に最高の状態。いつも楽しそうに料理をするケンタロウさんの手元にあるのが『かね惣』『吉實』の包丁で、自炊をするような長い旅にはどちらかを持って行く。

「基本的には道具はなんでもいいんですけど、包丁だけは別。よく切れたほうが楽しいですからね」。

右・「これ見たら買わないわけにはいかないでしょ！」。アメリカのシリアルのノベルティらしきカップ。下・長らくカツ代さん愛用の『吉實』を使ってきたが、10年ほど前浅草で『かね惣』の包丁を見つけてからはこれもお気に入り。使い込んで刃が薄くなってきた。

毎日使うボウルやまな板だからこそ、
使い勝手を考えたあつらえものに。

石井すみ子（主婦）

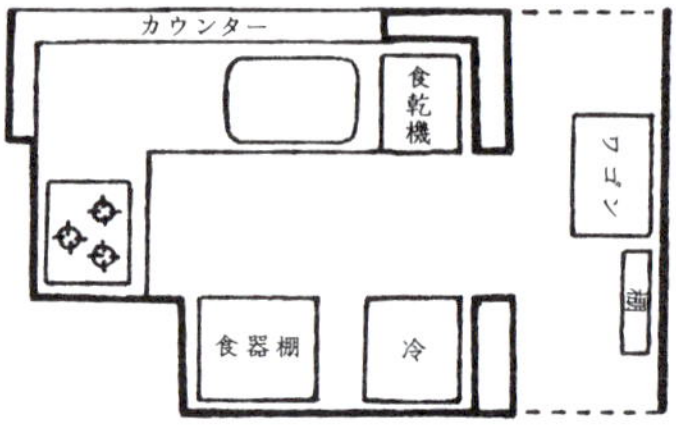

いしい・すみこ／陶芸家の夫とともに、京都府の丹波に暮らす。'07年３月には、東京にて自身の台所道具を紹介する展覧会を開催した。「すみ子は器を見ていると、その上にのせる料理のことが自然と思い浮かぶんだそうです。そうやって、毎日の料理を考えているようですね」とは夫・直人さんの弁。

天井にある明かり取りの小窓から、やさしい
光がさし込む。鈍い金色のボウルは真鍮製。
コンロの土鍋は、直人さんの作品だ。

右上・梅干しの入った瓶の上にかけたカバーは、友人が手づくりした韓国の蠅帳（はいちょう）。お盆の上にも同じものを被せている。右下・韓国の台所道具が好きで、年に数回は現地に赴く。韓国製の餅置きは、鍋敷きに使っている。左上・ろう引きした麻糸をぐるぐる巻いた手製の茶托も、韓国の鍋敷きを真似て作った。左下・鴨居の上にも器や鍋が並ぶ。吊りさげてあるのは真鍮のフライパン。

しめじの房を裂いて、昼食のうどんの具の準備中。シンクのサイズに合わせて作った、手製のすのこの上は、麺棒などの、作業途中の道具置き場になっていた。

京都駅から電車と車を乗り継いで1時間とすこし。石井すみ子さんが暮らす家は、なだらかな山々に囲まれた京丹波町にある。築150年の古民家をこの地に移築して登り窯を構えた陶芸家の直人さんのもとに、すみ子さんが嫁いだのは6年前。黒々とした土間に土壁、ひんやりとした梁台所のガス台の奥の壁面には、直人さんの陶器のタイルが貼られていた。ただそのなかで、ぴかぴかのシステムキッチンだけが異彩を放っていたという。作りつけの食器棚の扉に古布を貼りつけるなどの試行錯誤を経て、いまやその台所も家の雰囲気になじんできた。なかでもいちばんの功労者は、カウンターに並んだ、選び込まれ、使い込まれた道具の数々だ。

まず、ぱっと目に飛び込んでくるのは鈍い金色のボウル。これは真鍮の打ち出しで、し

やかんやピッチャーは熱伝導のよい銅製。六角形のまな板は、立て置きするときの安定感を考えてあつらえたもの。ピッチャーの下に敷いた陶器のタイルは、鍋敷きなどにも使っている。左ページ・右上・スッカラを応用してあつらえたスプーン。右下・福岡出身のすみ子さん、昼食は焼きアゴ出汁の煮込みうどん。左上・ガラスケースの上には海で拾った貝や小石が。左下・真鍮の重たいボウルは、ぶつかり合わないように間に紙を挟んで収納。

かもあつらえものだ。愛用していた木のボウルのサイズに合わせて作ってもらったそうで、「重みがあって作業しやすいし、火にもかけられる」と結局、入れ子で3つ揃えた。韓国のスッカラというスプーンの形をベースに、口にあたる部分を細長く作りかえたものも真鍮製。「ふだんはスポンジで磨いてしっかり水気をきる程度。たまにお酢で磨くくらい」と、扱いにあまり神経はつかわない。

　イチョウのまな板は「立て置きするときに安定感が出るように」と、知り合いの木工作家に六角形のものを作ってもらった。ときには少々値がはっても、自分の使い勝手に合った、長く使えるものを、というのがすみ子さんの信条。そうやって集めた道具は「食材や、料理を作る自分自身に寄り添ってくる気がします」。

きれいに整っているようでいて、いろんな器がごちゃまぜです。

山本祐布子（イラストレーター）

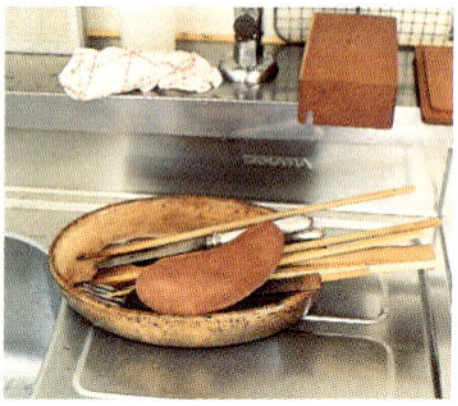

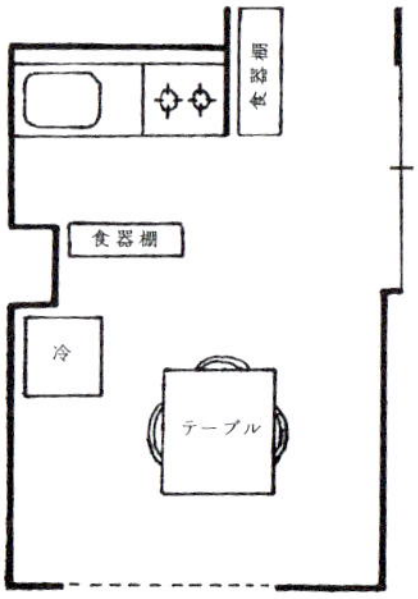

やまもと・ゆうこ／学生時代を京都で過ごしたのち、イラストレーターとなる。著書に『モードと手仕事』（文化出版局）などがある。自宅や事務所に友人を招いて、手料理をふるまうことも多い。写真上・いちばん手前にあるころんとした木のしゃもじは、アフリカの民芸品。奥に置いてある台ふきは、祖母が赤い刺し子を施してくれたものなのだそう。

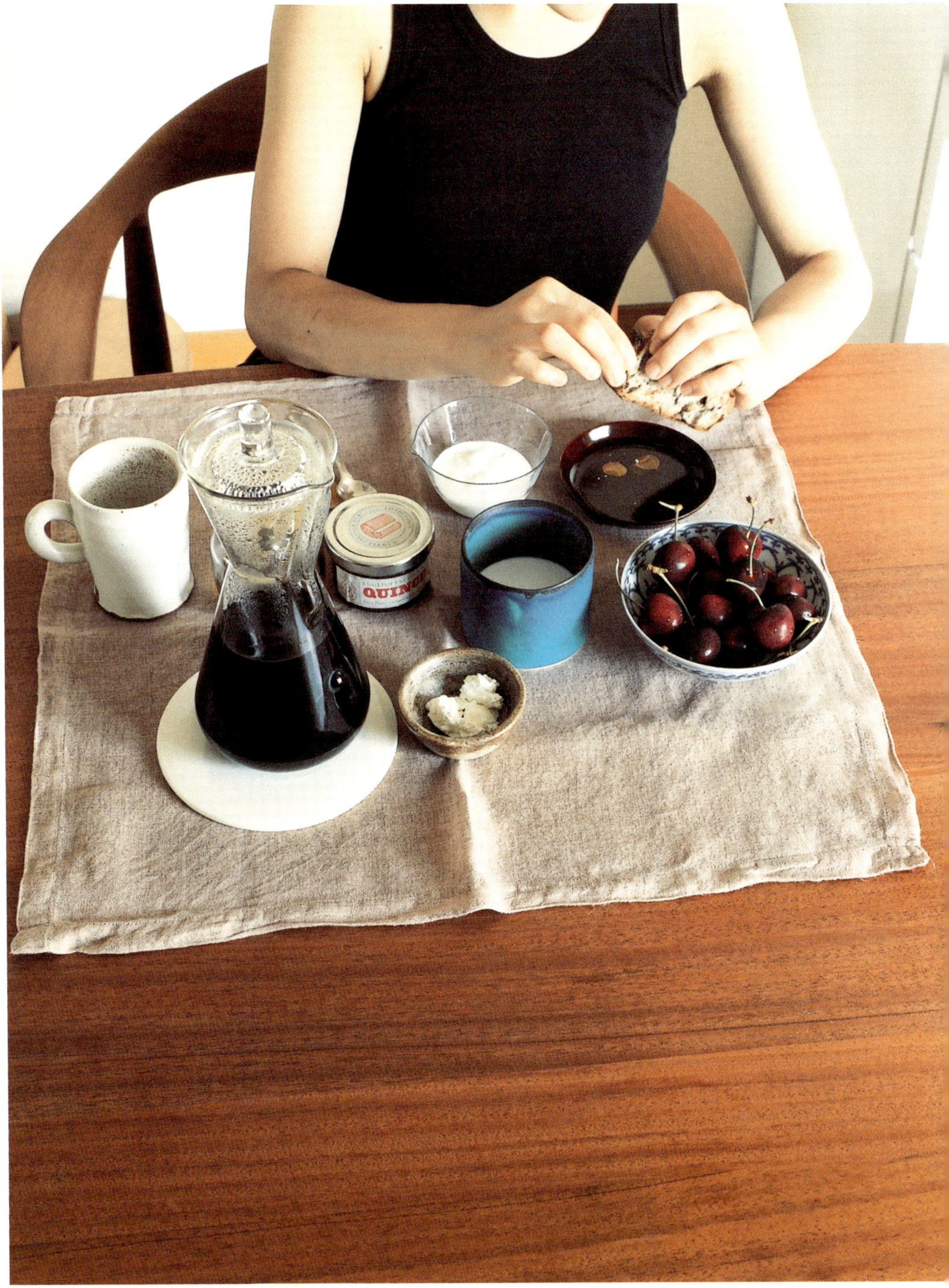

朝の食卓。京都の漆皿や中国の石皿、フランスのガラス器、陶芸家の吉村和美さんの青い器など、さまざまなテイストの器が並ぶ。

「何でもすぐに手の届く、狭い台所が好き」なので、食器棚はあえてシンクからの間隔をあけずに配置している。

右上・食器ふきのクロスは「リネンやコットン、素材も柄もいろいろ」。右下・昼間からドンペリ？ と思いきや、中身は冷えた煎り番茶でした。左上・ほぼ毎日使うというミキサーは、見た目のバランスを優先していちばん奥に収納。左下・アンティークなどのグラスと一緒に並んでいるのはお気に入りのハワイ柄コースター。京都の“天神さん”の市で５枚セットで100円だった。

玄関から続く廊下を進むと、ぱっと明るい光がさし込んでくる。オリーブなどの鉢が並ぶ広いバルコニーに面したこの場所が、山本祐布子さんの台所。長方形の白タイルの壁、ほうろう引きの扉のついた収納棚、卵色をしたガス台の受け皿がなんとも愛らしい。

「目指しているのは小回りのきく、コックピットみたいな台所」。シンクのすぐ後ろに食器棚を配した、手を伸ばせば何でも届くこの空間で、てきぱきと立ち働く。聞けば、暇を見つけては友人を招き、手料理をふるまっているという。

「私は料理のプロではないから、たいしたことはできません。ただ、だしやスープストックをきちんととることだけは心がけています」

スープストックはまめに作っておいて、急な来客にも対応できるように冷凍庫に保存

右・今日のスープストックの材料は、真鯛の頭とセロリ、赤玉ねぎ、唐辛子、ミニトマト、イタリアンパセリ、バジル、にんにく。水をひたひたに入れ、とろ火にかけて20分で完成。上・スープをとったあとの鯛の頭はオーブンで軽く温め、赤玉ねぎをベースに作ったソースをかけて食べる。「捨てるのはもったいないし、茹でた鯛っておいしいですよ」。

してある。今日は真鯛の頭を赤玉ねぎやセロリ、にんにくなどと一緒に煮込んでいた。

ところで山本さん、食事に招いた友人にこんなことを言われたことがある。「この家って、エルメスの皿と漆の皿が一緒に出てくるよね」。

朝ごはんに使う器を見せてもらうと、溜《ため》塗《ぬ》りの漆に中国やフランスの骨董、日本の作家物の器、木の持ち手がはずれた『ケメックス』のコーヒーメーカー……と、よく見ると出自はばらばら。それでもきちんとまとまって見えるのは、どれもみな、山本さんが、妥協せず、気に入ったものだけを、こつこつと揃えてきたからこそだろう。

「時期がきて、本当に自分が好きなものが見えてきたら、器も道具もいつかはびしっと揃えてみたい。でも今はまだ、ごちゃごちゃでいいかな」

使い勝手のいい台所では、
手も口もよく働く。

高橋みどり

（スタイリスト）

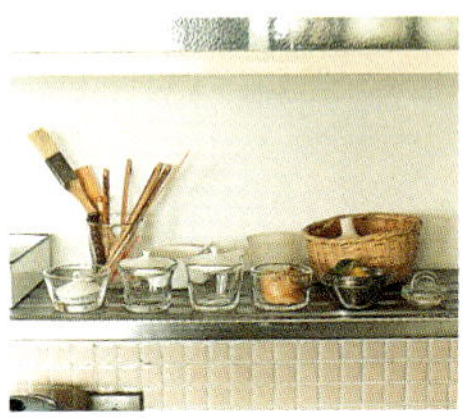

たかはし・みどり／器好き、布好き、お酒好きで、そのすべてが今の仕事につながっている。著書に『酒のさかな』（メディアファクトリー）、『伝言レシピ』（マガジンハウス）など。写真上・シンク上の棚にはかわいらしい小さなガラスの器が並んでいる。使いかけのしょうがの切れはしや余りものをちょこんと入れておき、すぐ使えるように。

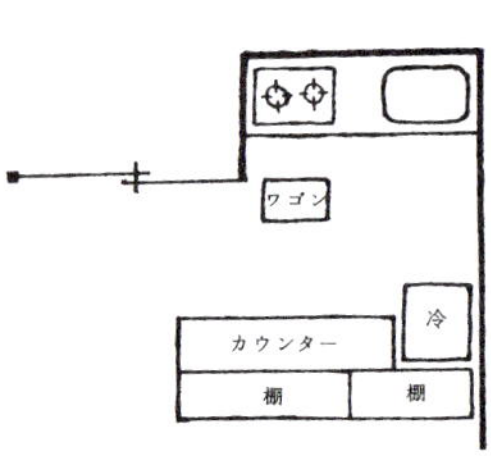

冷蔵庫裏の棚は大人のバーコーナー。いろんな陶芸作家のぐい呑みやグラスがたくさん。

リビング全景。まるで作りつけのようなキッチンになっている。カウンターの手前にある木の棚には梅干しの壺。ここ数年、梅干し作りにはまっているそう。テーブル右手がベランダになっていて、眼前に都心の空が広がる気持ちのいい空間。

「おしゃべりしていないで、手を動かしなさい！」と高橋みどりさんは言われたことがないに違いない。なにしろ、いつも手がくるくる動いている。笑っていても、こちらの質問に答えていても、手は野菜を刻み、お湯を沸かし、食べ終えたなら、フライパンを洗い、シンクを磨いて、気づけば台所はすっかり片付いて、さあお茶でもしましょうか、というあんばい。

　築30年のマンションに暮らすみどりさんの台所は、決して広くはないが、いろんな工夫が活きている。もともとの台所スペースはリビングに背を向ける形のシンクとガスコンロだけ。料理好き、お話し好きのみどりさんとしては、ひとり壁に向かって料理するのは味気ない。だから作業用のカウンター棚を作ってもらうことにした。まず、冷蔵庫の横にひとり暮らしを始めたときから使っているスチール棚を2つ並べる。その前に板を白く塗って組み立てた棚を2つ置き、棚の脇も板で囲う。全体を白く塗ってあるから、壁の色ともなじみ、部屋を狭く見せることもない。自家製アイランド型キッチンのできあがりだ。作業台となったスチール棚の上には大きなまな板や、水切りかごを置くスペースがある。棚の下には乾物や雑貨のストック。自分で使いやすさを考えた台所だから、かゆいところに手が届き、作業は流れるように進んでいく。おしゃべりもはずむ。

　マンション6階に位置する部屋の窓の外はさえぎられることなく、東京の空。お酒好きなみどりさんのこと、今日も台所でくるくると手を働かせながら、夕景を肴にビールを楽しんでいることだろう。

右ページ・料理の下ごしらえをするとき、みどりさんは小さなボウルをたくさん使う。切ったものはどんどんボウルに入れていくと、まな板も使いやすいし、料理もしやすい。
上・軽くふいた器を乾かす。皿のいちばん下にはお箸をかませて、ちょっと斜めにするとよく乾く。下左・おしぼり、ふきんなどの布ものとビニール袋、キッチンペーパーなどの小物はリゴンに。

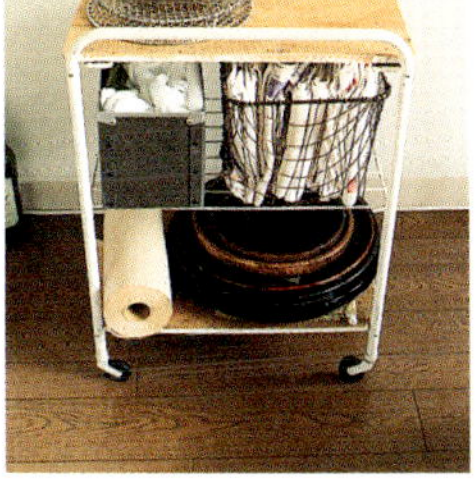

番外編

OさんとKさんの鍋のプロレス

鍋ふたつで男はここまで料理する。

大のお買い物好き、ものコレクターともいえるOさんが
たったふたつしか持っていないもの、それがお鍋。
料理は大好きで、今朝だって妻のぶんまで作ってきました。
もっと、もっと、料理がしたいと思っているのです。
いまあるお鍋ふたつでできることは、もっとあるはず。
熱き思いに応えてくれたのは、Kさんことケンタロウさん。
本誌で好評のOさん（♂）のプロレスシリーズ、番外編です。

ふつうのアルミ製ゆきひら鍋。
直径21cm。10年選手。
文章内では、略して㋴。

『フィスラー』の多層構造
ステンレス製片手鍋。
直径18cm。ガラスのふた付き。
文章内では、略して㋫。

＊各料理のレシピは、P46〜49にあります。

K　あ、この㋴、コイヌ印だ。

O　もらいものなんです。

K　コイヌ印って名前のわりに、どこを探しても子犬はいないんだよね。ま、それはいいとして、まずはお粥から。Oさん、お粥がお好きだとか。

O　朝はお粥です。

K　魯山人みたいですね。

O　ほっ？

K　魯山人て、朝粥の会とかやってたらしいですよ。

O　僕のは鶏ガラスープの素をバッと入れて作る簡単なものので、こんなていねいなこと（と戻されつつある貝柱を見やる）やったことありません。

K　貝柱君は、なかなかですよ。仲良くなるといいと思いますけどね（と言いながら、洗った米に何かをふりかける）。

O　お、それは！（クンクン）ごま油のにおいだ。お米にごま油をかけておくんですか？

K　風味づけに。

おはよう中国

O　いいですねえ。ごま油の香りって「食欲」そのものという気がします。すでに男の料理ですね（わくわく）。
K　貝柱が戻ったらお粥を煮てと（点火）。その間に漬け物でも作りましょうか（と、㋫に手を伸ばす）。
O　㋫で漬け物ですか!?
K　あ（気まずい顔）。今回はボウル代わりで……フィスラーさん、怒るかな？
O　いや、怒らないでしょう（笑）。鍋で和えるなんて、男らしくていいと思います。
――お粥が煮え、焼いた油揚げをのせて最初の試食タイム。
O　（もぐもぐ）なるほど、これは油揚げが中華粥の油條《ゆうじょう》の代わりになっているわけだ。
K　おっしゃるとおり。
O　油條って結局揚げパンでしょ。だから中華粥を食べるたびに、ごはんの上にパンかよと不満に思っていたんです。

でも、これならおかずになる。
K　中国の人にとって、お粥はスープですからね。
O　Kさん、ふしぎです。このお粥は、食べれば食べるほどお腹が空きますよ。

K　次は㋫で炊き込みごはん、(ゆ)で豚汁を作ります。アルミ鍋には肉が絶対くっつきますが、すぐにいじらずにそのまま待って、焼けてから混ぜるようにすればくっつきません。
O　炊き込みごはんの具は？
K　舞茸だけにしました。
O　だけ、がいいですね〜。
K　ガラスのふただと、ごはんが炊ける様子が見えて、なかなか楽しいですよ。
――数分経過。吹き出す㋫。
K　あれ？　ごはん、意外に早く炊けそうだなあ。多層構造って、こんなに早いのかな。
O　Kさんは、多層何とか、持ってないんですか？

おかえりニッポン

オーイ、オーイ、北海道

じゃがいもと
サワークリームの
温かいサラダ

鮭の
トマトソース

K　うちの鍋はほうろうか鉄。
O　多層何とかって、何が特別なんでしょう？　僕は説明書も読まないので、ただの片手鍋としか思ってなかった。
K　熱効率がいい。らしい。
O　熱効率がいいと、何がいいんですか？
K　お湯が早く沸く（さっぱり）。でも、あんまり早いのもね。こっちが道具に合わせなきゃいけなくなる。とくにつきあいが浅いと、こいつはどれだけ待たせたら怒るのだろうとか読めないし（と、勢いよく湯気を出す㋫をちらり）。それにお湯って、待っていると沸かなくないですか？　見てても沸かない。お湯って意外にシャイガイなんです。
O　（笑）。ごはんはそろそろ？
K　ですね（㋫に鼻を近づけてクンクン）。うーん。やっぱり、もうほんのちょっと早く火を止めたほうがよかった。
O　でも、お焦げができて。
K　まあいいとしましょう。
――二度目の試食タイム。
O　豚汁にこしょうは初めてだけど、すっごくおいしい。
K　でしょう？　実家のレシピなんです。これが安いテーブルこしょうほどうまい。
O　ごまは直前にすった？
K　いえ、それも安い市販の。ごままですると、僕にはロハスが過ぎますからね（笑）。
O　鮭とおいも。道産子にはうれしいペアです（ほくほく）。
K　鮭はトマト煮、いもは㋫で茹でる。ふたをすると、あっというまに茹であがります。これも、焼く時に鮭がゆ⃝に絶対くっつきますが、大事なのはあわてててひっくり返さないこと。身が崩れても全然平気。そう思っていると、けっこうくっつかない。ほら（ニコ）。
――三度目の試食タイム。

ビバ! メキシコ

コーンライス

野菜とトルティアのスープ

O　おお、白に赤。

K　なかなかいいでしょ?

O　(しばし黙って食べ、おもむろに)普通トマト煮って複雑じゃないですか。何が入っているのかわからないのがトマト煮みたいな。でも、これはちゃんと鮭を食べてるぞって気がする。僕、好きです。

K　今日はにんにくも入れませんでしたから。

O　あと、このいものサラダは、あえて、あまりよく混ぜないのがミソなのでは。

K　そう、そう、そのとおり!均一にしちゃだめなんです。でも思ったんだけど、味に濃淡があるのがおいしい。

O　さっきのセロリの漬け物も、いきなりサワークリームがもっちり出てきたり、そのムラで飽きずに食べ続けられる。いくらでも。でも、ああ、もう次に行かねばですね。

K　そろそろメキシコ。

K　それにしても人の鍋で料理するって、最初は人んちの風呂を借りているような生々しさがあったんだけど、だんだん、こう、親近感が。
O　僕も、こいつらが僕にも見せたことのない顔を見せ始めた気が。うまーっ！と悦びつつ、くそーっ！とも(笑)。
K　⑦のコーンごはんも、ほらほら、いい感じ。
O　あ！　いまオクラを網ごと洗いましたね。
K　こうするとらくちんでしょ。オクラは歯応えのために最後に入れてと、それから真打ちトルティアチップスを投入（バッ）。このチップスが、ちょっとへなへなっとなったのが、またおいしいんですよ。
O　へなへなのチップスがおいしいなんて僕には想像できません（憮然）。
――緊張の試食タイム。
O　……これは…………これは究極のモテ料理ですね。
（途端、まわりの女性スタッフがいっせいに色めく）
O　これぞ男が好きな味！
K　また、チップスが麺みたいに食べられて、ね。
O　もう、わしづかみです。
K　チキンライスはOさんからのリクエストでしたね。
O　タイにカオマンガイという鶏ごはんがあって、それが作れるようになりたいんです。
K　たぶん、シンガポールチキンライスと呼ばれている料理と近いと思う。ソースの違いはあれ、調理法は。
O　ソースはタイでも店によって違うんですよ（と、できあがりをぱくり）。これこれ。まさにカオマンガイです。
K　ソースの辛みは和がらし。
O　素晴らしい。これからは日本でこれを作って食べられるなんて、本当に感動です。

アジアのどこかのチキンライス

シンガポールチキンライス

ナマステ、インディア

K　これこそ、この鍋ふたつの共同作品ともいえる料理なので、ぜひ作ってください。

K　最後はカレー。㋫は揚げ物に使ってみようと。

O　揚げ物は生まれてこのかた、したことありません。

K　僕も家ではかき揚げと竜田揚げをするくらいですね。しかも、ねぎと桜えびのかき揚げばっか。あと、ちく天。

O　ちく天！　作りたい！

K　簡単ですよ。だって中まで火を通す必要ないし(笑)。

O　ちく天も、わしづかみ系ですよね。

K　ですよね。

O　でも、ちく天うどんを作ろうと思うと、僕には鍋が１個足りない。

K　熱々はね。冷やしにすればいいじゃないですか。

O　いえ、買います。うどんのために、鍋、もう１個。

K　ええ！　そういう結論ですか⁉　ここまでふたつで頑張らせておいて？

O　鍋3つ動員して作るなんて、ちく天うどんって何て贅沢な食べ物だったんだろう。

●おまけ「あんこ」編

O　今日はデザートに、伊勢名物の赤福を持ってきました。じつは以前にKさんに取材した時に、あんこをつけたし扱いするような発言があって、一度はっきり話をつけたいと。

K　というOさんは、あんこ好きなわけですね。

O　いかにも。あんこ野郎です。

K　僕だって好きですよ。好きだけどたくさんは必要ない。鯛焼きなら皮を食べるため、赤福なら餅を食べるための、ディップですよ、ディップ。

O　むむ〜。

K　あんこ好きはいつから？

赤福

O　赤飯に甘納豆入ってる土地柄で、夕飯の食卓にごはんとデザートのお汁粉が一緒にのってる家でしたから。

K　北海道。アメリカンドッグにも砂糖かけてますしね。でも、汁粉の主役はやっぱり餅でしょう、餅。赤福だって、土産にもらうと、僕は餅ばっか食べるから、すみにあんこの山ができてましたもん。

O　僕は、偶然のふりをして必ず隣のあんこまでこそげとってましたね。

K　ということは、ふたりが兄弟として育てばよかったということで。

O　そしたら平和でしたね。

右がKさんこと料理家のケンタロウさん。台所取材はP12からに詳しく。丸い背中を見せているのがOさんで、クウネル編集部の黒一点。あんこのせいで丸くなったなんて、口が裂けても言えません。上の赤福は、お皿に盛ったのがOさんのぶん。あんこをこそげとられた隣の餅は白い肌を淋しそうに見せているけれど、Kさんにはこのくらいがいいディップ加減。仲良く最後までたいらげていました。

鍋ふたつで作る献立レシピ集

分量はすべて
２人分目安です。

おはよう中国

貝柱の中華粥

☞ 材料

干し帆立貝柱……３個
ぬるま湯……２カップ
米……½カップ
ごま油……大さじ１
水……８カップ
塩……適宜
油揚げ……１枚

☞ 作り方

① ボウルに貝柱を入れ、ぬるま湯を注いで30分～１時間ほどおいて、戻す。
② 米は軽く洗って水けを切り、ごま油をまぶして混ぜておく。
③ 鍋（ゆ）に水と①を入れて強火にかける。沸騰したら②の米を入れて、弱火で40分煮る。米が開いて好みのとろみ加減になったら味をみながら塩で調味する。塩は食べる時にも足せるので入れすぎないように。トースターでカリカリに焼き、食べやすく切った油揚げを添える。

セロリの中華即席漬け

☞ 材料

セロリ……２本
オイスターソース……大さじ½
ごま油……大さじ１
酢……大さじ１
塩……適宜

☞ 作り方

① セロリはピーラーで筋をむく。麺棒などでたたいてくだき、手で適当な大きさにちぎる。葉もちぎる。
② 鍋（フ）に入れて、オイスターソース、ごま油、酢を加えて混ぜる。味をみて塩でととのえる。

おかえりニッポン

豚汁

☞ 材料

豚ロース薄切り肉……100グラム
大根……５センチ
にんじん……½本
長ねぎ……１本
ごま油……大さじ１
水……３カップ
味噌……大さじ２～2.5
すりごま（白）……適量
こしょう……適量

☞ 作り方

① 豚肉は一口大に切る。大根は５ミリ厚さのいちょう切りにする。にんじんは薄い半月切りにする。長ねぎは１センチ厚さの斜め切りにする。
② 鍋（ゆ）を熱してごま油をひき、豚肉を並べる。すぐにはいじらず、しばらくそのまま強火で焼きつける。焼き目がついたら鍋底からはがしやすくなる。大根、にんじん、長ねぎを加えてザッと炒める。野菜が少ししんなりしたら水を加える。沸騰したら火を弱めて、アクを取りながら10分煮る。
③ 味をみながら味噌を溶き入れる。器に盛って好みですりごまとこしょうをかける。

きのこの炊き込みごはん

☞ 材料

米……1.5合
水……1.5カップ
舞茸などきのこ……１パック
しょうゆ……大さじ１弱
みりん……大さじ１弱
塩……少々

☞ 作り方

① きのこは石づきを落として適当にほぐす。米は研いで水けをよく切る。
② 鍋（フ）に米と水を入れて、そこから大さじ２杯分の水を取る。しょうゆ、みりん、塩を加えてサッと混ぜる。上にきのこをのせて、ふたをして強火にかける。沸騰したらすぐに弱火にしてそこから13～15分炊く。炊けたら火を止めて、ふたをしたまま５分蒸らす。

 ＊１カップは200cc、大さじ１は15cc、小さじ１は5ccです。

オーイ、オーイ、北海道

鮭のトマトソース

☞ 材料

生鮭切り身……2切れ

ホールトマト缶……1缶

オリーブ油……大さじ1～1.5

塩……適宜

こしょう……適宜

☞ 作り方

① 鍋（ゆ）を熱してオリーブ油をひく。2等分に切った鮭を並べる。火加減は強めの中火。すぐにはけっしていじらない。アルミの鍋だと魚はくっついてしまうけれど、あわてず待つ。縁が色づいてきたらヘラでガリガリやってひっくり返す。少々崩れてもまったく気にしない。両面にいい焼き目をつける。

② ホールトマトの缶を開けて、調理バサミを突っ込んで缶の中で細かく切る。鍋に加えて、弱めの中火で7分煮る。煮えたら味をみながら塩、こしょうで調味する。

じゃがいもとサワークリームの温かいサラダ

☞ 材料

じゃがいも……2個

サワークリーム……大さじ山盛り2

ローズマリーの葉（生）……3枝分

塩……少々

こしょう……適宜

☞ 作り方

① じゃがいもは皮つきのまま4～6等分に切って2～3分水にさらす。鍋（フ）に入れてひたひたの水を入れ、ふたをしてやわらかくなるまで茹でる。

② 茹であがったら水を捨てて、他のすべての材料を加えてざっと混ぜる。

ビバ！ メキシコ

野菜とトルティアのスープ

☞ 材料

鶏もも肉……1枚

セロリ……1本

ズッキーニ……1本

オクラ……1パック

トマト……1個

にんにく……3～4片

オリーブ油……大さじ1

チリパウダー……小さじ1

水……4カップ

塩……適宜

トルティアチップス（塩味）……適量

☞ 作り方

① 鶏肉は一口大に切る。セロリはピーラーで筋をむいて3センチ長さに切り、太い部分は縦に3～4等分に切る。葉は適当にちぎる。ズッキーニは1センチ厚さの半月切りにする。オクラはヘタの先を切り落とす。トマトは1.5センチ角に切る。にんにくはヘラでつぶす。

② 鍋（ゆ）を熱してオリーブ油をひき、鶏肉を皮を下にして並べる。火加減は強火。すぐにはいじらずじっと待つ。皮目がカリカリに焼けたらヘラで少しガリガリやるとパカッとはがれる。ひっくり返したらにんにくを加えてさらに炒める。

③ にんにくが色づいたらセロリ、ズッキーニを加えて炒める。油が回ったらチリパウダーを加えてよく混ぜる。水を加えて沸騰したら弱火にして、15～20分煮る。アクが出たらすくう。

④ 塩をまず小さじ1弱加え、溶かす。味をみて薄ければ塩を足す。オクラ、トマト、セロリの葉を入れてサッと混ぜ、最後にトルティアチップスを加えて混ぜる。

コーンライス

☞ 材料

米……1.5合

水……1.5カップ

コーン缶……1缶

塩……少々

☞ 作り方

① 米は研いでよく水を切り、鍋（フ）に入れる。水を全部入れてから、大さじ2杯分だけ水を取る。コーンの水けもよく切り、米の上にのせて強火にかける。

② 沸騰したらすぐに弱火にしてそこから13～15分炊く。炊けたら火を止めて、ふたをしたまま5分蒸らす。塩を加えて混ぜる。

アジアのどこかのチキンライス

シンガポールチキンライス

☞ 材料

鶏もも肉……2枚
しょうが……1片
米（あればインディカ米）……1.5合

A
- にんにく（すりおろし）……少々
- オイスターソース……大さじ1.5
- レモン汁……大さじ1
- 水……大さじ½
- しょうゆ……小さじ1
- 和がらし……小さじ½

香菜……適量
トマト……適量
レモン（好みで）……適量

☞ 作り方

① しょうがは薄切りにする。鍋（ゆ）に水を4カップ入れて火にかける。沸騰したら鶏肉としょうがを入れて、20～30分煮る。Aを混ぜ合わせておく。
② 米は洗って（インディカ米はサッと）鍋（フ）に入れ、①のスープ1.5カップを入れて（インディカ米の場合は袋の表示に従って水加減する。ちなみに今回は2カップ）強火にかける。沸騰したらすぐに弱火にして、そこから13～15分炊く。炊けたら火を止めて、ふたをしたまま5分蒸らす。
③ 皿にごはんを盛って、①の鶏肉を食べやすい大きさに切って上にのせる。Aのタレ、香菜、トマト、レモンを添える。

ナマステ、インディア

豚とレンズ豆のインドカレー

☞ 材料

豚バラ薄切り肉……200グラム
玉ねぎ……1個
にんにく……4～5片
しょうが……1片
レンズ豆……大さじ4～5
ココナッツミルク……1缶
水……1.5カップ

A
- カレー粉……大さじ1.5
- ガラムマサラ……大さじ½
- クミン（パウダー）……大さじ½
- コリアンダー（パウダー）……大さじ½
- チリペッパー……小さじ½～1
- カルダモン……5～6個
- ローリエ……1枚

サラダ油……大さじ1.5
塩……適宜
ヨーグルト（無糖）……適宜

☞ 作り方

① 豚肉は一口大に切る。玉ねぎ、にんにく、しょうがはみじん切りにする。
② 鍋（ゆ）を熱してサラダ油をひき、豚肉、玉ねぎ、にんにく、しょうがを入れて強火で炒める。肉の色が変わったらAを加えてよく炒めてなじませる。水、ココナッツミルク、レンズ豆を加えて、弱火で20分煮る。
③ 塩をまず小さじ1入れて溶かす。味をみて薄ければ迷わず塩を足す。はっきりした味に仕上げる。器に盛って、ヨーグルトをかける。

揚げパン

☞ 材料

小麦粉（薄力粉）……1.5カップ
卵……1個
水……¼カップ
オリーブ油……大さじ1
砂糖……大さじ½
塩……2～3つまみ
揚げ油……適量

☞ 作り方

① ボウルに揚げ油以外のすべての材料を入れて、まずは箸で全体を混ぜる。少しまとまったら手でよくこねて、ひとまとめにする。そのまま5分ほどおいて休ませる。
② 鍋（フ）に揚げ油を深さ3～4センチ入れて、中温に熱する。①のタネを適当な大きさにちぎって、手で薄くのばして（厚さは均一でなくてかまわない）鍋に入れる。中火でキツネ色になるまで揚げる。好みでクレソンなどを添えて。

そこまでするの？
台所のまめまめ工夫 ①

台ぶきん用、小バケツあります

台ぶきんは使ったらバケツにためておき、2、3日に一度お風呂で手洗い。「固形石けんを使うと汚れがいちばん落ちるような気がします」。（山崎陽子）

冷蔵庫の棚は１段以上空ける

まめに買い出しに行き、冷蔵庫に食材をためない。ボウルがまるごと入るくらいの余裕がほしいので、庫内は常に１段以上空けておく。（米沢亜衣）

棚をあちこちにつける

蛇口のでっぱりに沿って板をくりぬき、シンクの上に渡すと、ちょっとした棚ができる。ちまちま見えるのはしょうがのスライス。（塩山奈央）

まるごと凍らせます

ボウルに水を張り、そのまま凍らせておく。「ワインクーラーにくだいて入れたり。一気にものを冷やしたいときに便利ですよ」。（柳瀬久美子）

こっそり働いています

スチールたわしは透明のプラスチックコップに入れておく。水切れが完璧でないときでも安心。赤いゴム手袋でおそうじも楽しく。（高尾）

専用の保存袋には名前を書いて

野菜の保存袋は使い捨てにしない。ねぎやもやしなど匂いのあるものは専用の袋を決めて名前を書いておく。洗って干すときは裏返して。（山崎）

ながい、ながーい鍋つかみ

自分で縫ったという長さ50cmほどの鍋つかみ。これひとつで鍋の胴をくるりと巻いて持てるし、たたんで鍋敷きにも使える。（塩山）

夫が作ってくれました

食器棚の扉が開かないように、針金を曲げてストッパーに。「夫が作ってくれたんですが、小さな地震のときはだいじょうぶでしたよ」。（高尾 汀）

おいしい空気と野菜と果物。朝食用のキッチンでいただきます。

伊藤まさこ（スタイリスト）

いとう・まさこ／料理などおもに暮らしまわりのスタイリングを手がける。著書に『東京てくてくすたこら散歩』（文藝春秋）、『ロブルージュ』（世界文化社）など多数。これまでの著書でお鍋や道具を多数紹介してきた伊藤さん。それらはすべて母屋と事務所で活躍しているそう。ご安心を（？）。写真上・小屋から果樹園を眺める。いいところです。

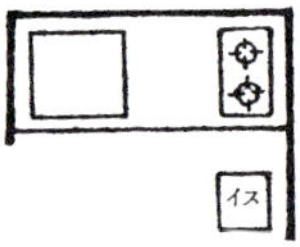

天板はチーク材。水に強くて、反ったりしないのだそう。コンロは縦にふた口。

この春、暮らしの中心を長野県松本市にうつした伊藤まさこさんの〝朝食のためのキッチン〟。この本のなかでいちばん小さな台所だ。伊藤さんはパートナーと娘の3人で、西洋梨やりんごの果樹園を背景に佇む母屋と改装したばかりの小屋に暮らしている。寝泊まりするのはおもに小屋のほうで、そこにあるのがこの小さなキッチン。本格的な料理は、母屋で作るけれど、ここではほぼ朝食のみで、毎朝のメニューはコーヒーにパンに新鮮な果物にジャム。こちらへ来て、娘のお弁当作りの必要がなくなったにもかかわらず、毎朝早く鳥のさえずりで目が覚める。さて、朝食のためのキッチンは、東京暮らしのとき以上にコンパクト主義だ。いくつかのお鍋と必要最小限のお皿。唯一、クロス類はかごにたっぷり用意して、

右上・クロス類はかごにまとめて。右下・アンティークのコーヒーミルはプジョー製。左上・ミニ冷蔵庫のシールは愛娘・胡春ちゃんのいたずら？　左下・木の器はときどきオイルを塗って手入れする。

思うぞんぶんあちこちをふいては洗濯機へ。汚れをためない、すっきりとした台所はあいかわらずだ。ミニサイズの冷蔵庫にはいただきものや、自作のジャムがぎっしり。「ラズベリーもアンズも自分で摘んで煮たの！　同じ季節の果物はミックスしてジャムにすると合うんですって」。はたしてお味は大正解で、空き瓶を総動員しては友だちに配っている。そして、ここへ来て、野菜の味が違うことを実感している。「ちょうどある本を読んでいたら、『魚の鮮度には気を使う人が多いのに野菜の鮮度には無神経な人が多い』というようなくだりがあって。ここでは、とれたての野菜をいただくことが多く、それがほんとうにおいしい」。余ったら鮮度のよいうちに保存食に。「ぜいたくってこのことだなあと思います」。

上・シンク下にカトラリーを入れる引き出しをつけようか思案中。下・アルミの鍋3つとほうろう、鋳鉄の鍋。「道具はひととおり揃えて満足してるんだけど、鍋だけはやめられない。ついつい増えてしまいます」。ガラス器には洗濯するクロスを入れて。「これでめだかを育てていたこともあります」。

食器を洗うのとおなじように、
換気扇やガス台の五徳も、毎日掃除。

渡辺有子

（料理家）

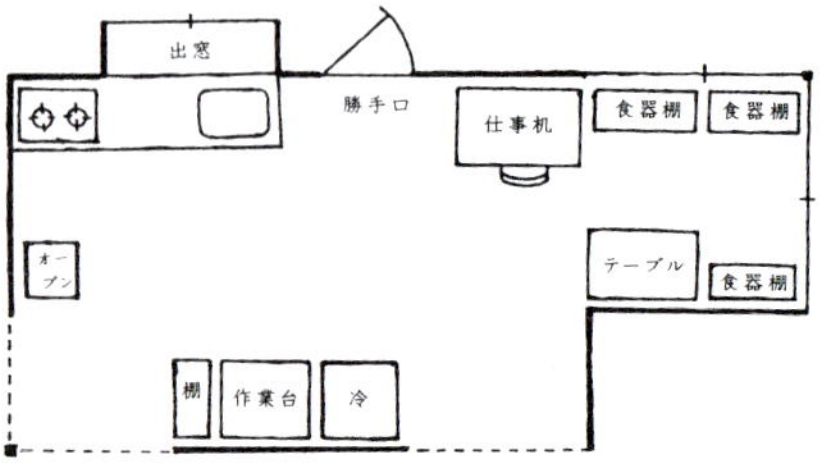

わたなべ・ゆうこ／野菜を中心とした家庭料理を提案する料理家。現在、愛用の食材をテーマにした本の出版を準備中。学生時代はバスケットボール部のキャプテン、趣味は水泳と、アクティブな一面も持つ。写真上・ひとり暮らしを始めた頃に作ったという手製の作業台。右側にはクロスやトレイ、左側の白い扉の中にはごみ箱がふたつ収納されている。

台所仕事の最後に、ガスコンロの五徳と受け
皿をさっと洗うのが渡辺さんの日課だ。

すみずみまで磨きこまれた、古い一軒家の台所。食器棚の隣には、パソコンの置かれた仕事用のデスクが並んでいる。「台所が私の仕事場ですから」。左ページ・お湯を沸かすときはいつも『釜定』の南部鉄瓶を使う。壁に吊ってあるフライパンは、東京・合羽橋で購入したフッ素樹脂加工のもの。

Rinnai

「ああ、気になる……。もう病気かも」なんて言いながら、小さな汚れや水はねを、見つけたそばからきゅっとふく。

前の日に台所で使ったふきん類は1日ぶんまとめておき、朝いちばんにそれだけを入れて洗濯機を回す。これが料理家の渡辺有子さんの日課だ。

台所を動き回る渡辺さんの手元には、たいていの場合、台ぶきんが握られている。台所とダイニングを行き来するちょっとした合間にも、シンク下の戸棚の取っ手をきゅっとなでていく。

まめにふいているから、どこもかしこもぴかぴかで、軽い水ぶきだけですむ。同じ1枚で、ガス台の奥のステンレスの壁や、換気扇の掃除までするそうだ。

「私にとっては、まとめて大掃除するほうが面倒。だから、〝常ぶき〟しているんです」

清潔感があるし、漂白して長く使い続けるから、台ぶきんは白と決めている。使っているのは『白雪ふきん』。蚊帳《かや》

右上・ふきんは衣類と同じ洗剤を使って、洗濯機で洗う。「ときどき煮沸消毒もします」。右下・内径15cmの小ぶりな鍋ふたつで、夫とふたり分の料理はまかなえるそう。左上・木製の調理道具は、洗ったあとは必ず縁側で日に当てる。左下・梅酒や乾物は、業務用のアルミのばんじゅうに入れて。

の生地を8枚重ねて縫い合わせたもので、吸水性と丈夫さが持ち味。もちろん汚れも落ちやすい。

　台所仕事のいちばん最後、鍋や皿を洗い終えた渡辺さんは、ガス台を斜めに持ち上げて、その下をふき始めた。聞けば、毎晩ガス台の五徳と受け皿も取りはずして、さっと洗っているのだという。

「そんなにめずらしいことかしら？　使ったら、洗ってふく。私にとっては、食べたあとの食器を洗うのと同じ感覚なんですよね」

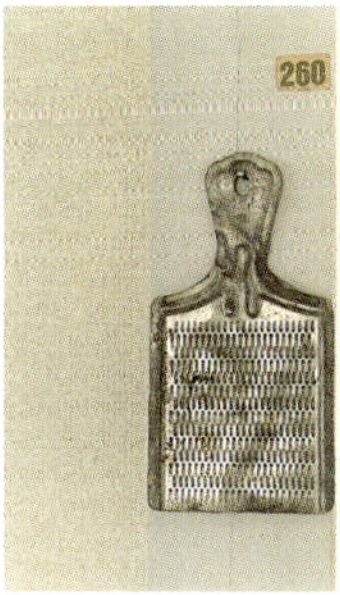

見えてないと忘れちゃうから、
やかんのお湯まで丸見えです。

深尾泰子

（布小物制作家）

ふかお・やすこ／布を使った作品づくりのかたわら、パートナーとともに、ベーカリーも営んでいる。「厨房機材を専門に扱うリサイクルショップに行くのが好き。けっこう掘り出し物があるんですよ」。写真上・もともとは居室だったという部屋に水道とガスをひいて作った台所。ごみ箱として使っているのは、中古の大きな寸胴鍋だそう。

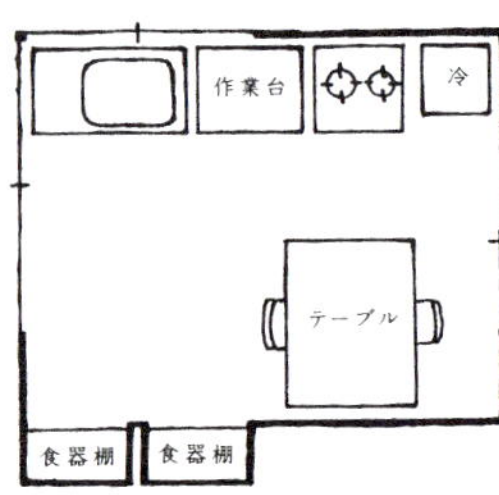

内径10cmの小鍋はひとり分の食事に活躍。今
日は作りおきの大根の煮物を温め直した。

玄関を入ってすぐ、木わくのガラス戸をあけると、二面に大きな窓のついた台所が広がっている。じつはこのスペース、もともとは居室だったのだそうだ。

「最初にこの家を内見したときは、台所は廊下に面した暗い場所にあったんです。両手を広げたくらいしかなくて、とにかく狭かった」

台所がこれでは、住めないな。そんな思いがよぎったが、パートナーとともにベーカリーを営む深尾泰子さんにとって、店舗からの近さと2階の日当たりのよさはどうしても捨てがたかった。

そこで大家さんの了解を得て、板張りの居室に水道とガスをひき、業務用のシンクや作業台を取りつけ、広々とした気持ちのよい台所へと変身させたのだ。

ところでこの台所は、ありとあらゆるものが、目につくようになっている。シンクの下には業務用のステンレスかごが置いてあり、ざるやボウル、キッチンクロスなどが分類してある。2間分の納戸は、扉を取りはずして木の板を渡し、大きな食器棚に作りかえた。野菜類はかごやグラシン紙の袋に入れてあり、ストックがひとめで把握できるようになっている。

「かごの中を見て、ありあわせのもので献立を考えるようにしています。食器や調理道具は、見えてないと持っていることを忘れちゃうんです。別の新しいものが欲しくなるのを戒めるためにも、全部が見えているっていうことが、大事なんですよ」

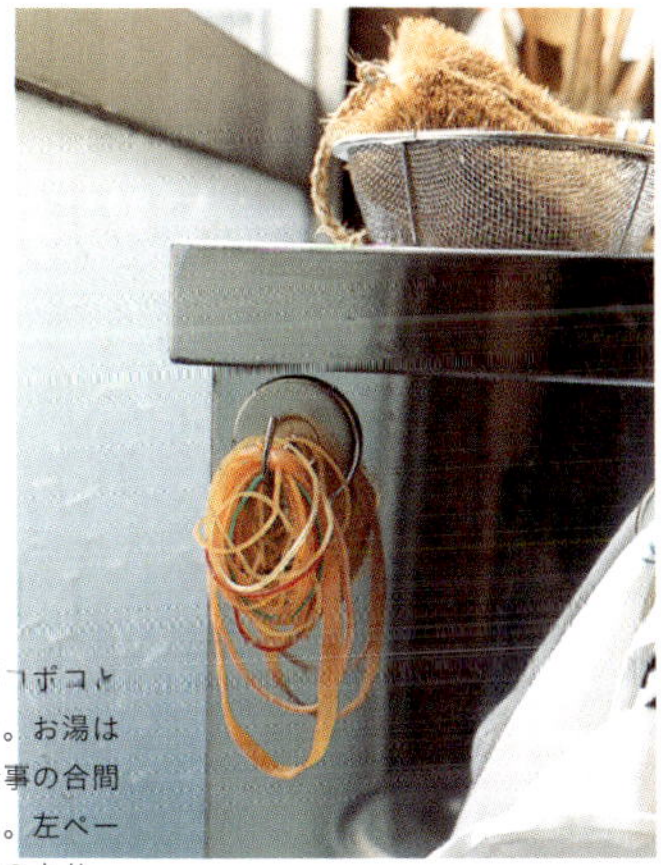

右ページ・ガラス製のやかんは、ポコポコと沸いているのを眺める楽しみもある。お湯は左の魔法瓶と水筒に入れておき、仕事の合間の休憩時にコーヒーやお茶をいれる。左ページ・上・「ステンレスやアルミのものより、鍋肌へのあたりがよいので」と、お玉やフライ返しは木製を愛用。右下・かごの中には新聞紙に包まれた大根とねぎ。左下・シンク側面のマグネット付きフックは輪ゴムの指定席。

食器や鍋を洗うもの、ふくもの。

料理上手はあとしまつ上手。
どんな道具を使っていますか？

アクリルの毛糸を編んで作るアクリルたわし。細かい繊維で汚れをかき落としてくれるので、少々の油汚れなら、洗剤を使う必要もなし。実家のおばあちゃんの手編みです。（大谷）

野菜の土や鍋の焦げを落とすスウェーデン製のブラシ。働き者なので、特等席に置いてあるそう（P91参照）。ブラシも使ったあとは洗って、干す。（ホルトハウス房子）

目にじゃまにならないよう、白いスポンジを探していたところ『無印良品』(www.muji.net)で発見。無印のキッチンペーパーも使いやすく、お気に入りです。（高橋）

ガラ紡と呼ばれる日本独自の紡績方法で織られた『びわこふきん』(www.biwakofukin.com/)は愛用者多し。洗剤を使わずお湯だけで食器が洗える。（大谷マキ、塩山奈央ほか）

まな板を清潔に保つには『まな板けずり』がおすすめ。これでゴシゴシすると、食材のアクやにおいもあらすっきり。プラスチック専用だけど、木製にも使ってます。（松長絵菜）

小さめのたわし、スポンジと並んでシンクに欠かせないのがカネヨの『フキンソープ』。台ぶきんは洗濯機にかける前に、これで洗っておくと見違えるほどきれいに。（高橋みどり）

木の根っこで作られたブラシは、鍋のこびりつき落としに活躍する。上の短い束のほうは強度が高いので、がんこな汚れに。下の部分はやさしくこするのに向いている。(松長)

蚊帳生地を何層にも重ねて縫った『白雪ふきん』(垣谷繊維☎0742-22-6956) は純白で吸水性がばつぐん。まとめ買いする人多し。(渡辺有子、柳瀬久美子ほか)

研磨粒子つきの『スコッチ・ブライトナイロンたわし』は鍋の焦げ、油あとなどをすっきり落とす。小さく切って使うと勝手がいい。包丁を研ぐという人も。(米沢亜衣、松長)

食器ふきのクロスは、作業中もひと目で食器用とわかるように、同じものを10枚ほど揃えて交代で使っている。愛用は『サンク』(東京・神宮前) のポーランド製リネン。(渡辺)

ゴムの微粒子を加工した洗剤のいらない『がんこクロス』(がんこ本舗☎0120-082-369)。消しゴムのように汚れをずらして油を吸い取る万能クロス。水に濡らして使う。(塩山)

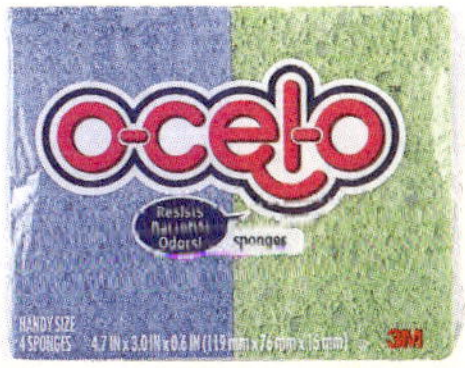

吸水性の高い、セルロースという植物繊維で作られたアメリカ製のスポンジ。自然素材を原料にしているから、使い古したら可燃ごみに出せるのがいいところ。(山本祐布子)

台所は生きている場所。
だから毎日、世話をしてあげないと。

高山なおみ
（料理家）

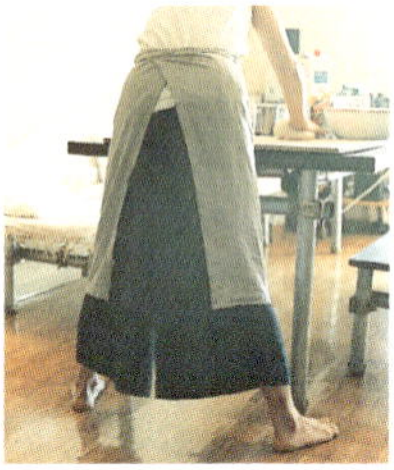

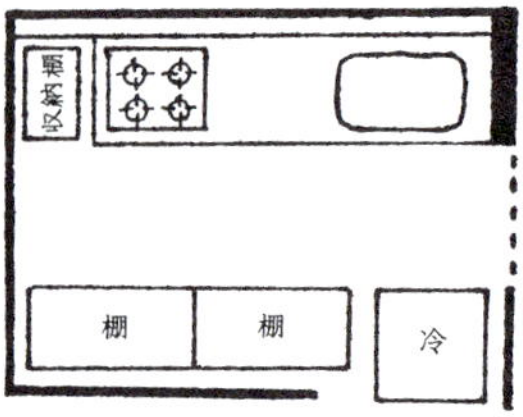

たかやま・なおみ／レストランのシェフを経て料理家になる。子供時代に憧れたのは「初めて泊まった友人の家。使いこまれた台所に、家族がワイワイ集まってくるんです。料理って、こんなにおいしいものなんだってその時に知った。今でもその晩の献立を覚えています」。この11月に『おかずとご飯の本（仮題）』（アノニマ・スタジオ）が発売される予定。http://www.fukuu.com

中国で食べた味を思い出しつつ、粉を練るところから作っているのは焼きまんじゅう。具は豚バラとえび、干しえび、干ししいたけ、ねぎ、生姜を刻んだものに、五香粉を少し。

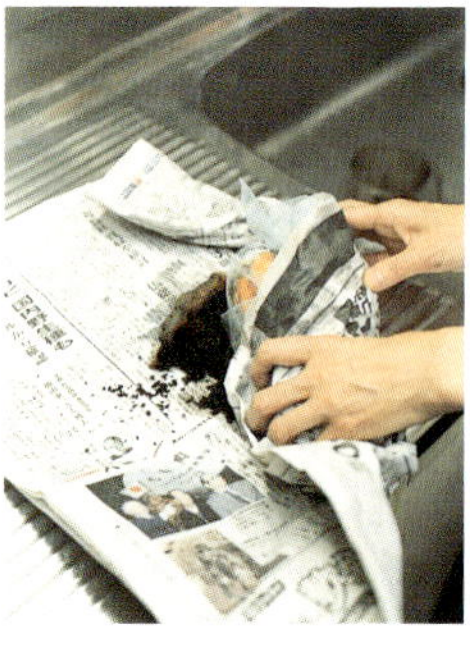

生ごみはシンクに置いたほうろうの容器にひとまとめにして（上）、たまったら新聞紙で包み（下右）、ポリ袋に入れて固く口を縛ってから（下左）ごみ箱に入れるとにおいも気にならない。この方法は料理アシスタントの女の子を真似て始めた。ほかにもラップフィルムの再利用など友人の影響を受けて実践していることは多い。「いいことは何でも真似するんです。そうやって変化していく台所がいい」。左ページ・食器ふきと台ぶきんを煮沸消毒する夜の日課はレストラン時代から。火を止めてひと晩おき、翌朝、洗濯機に。

台所から「く」の字に続くダイニング。高山なおみさんは、窓を大きく開け放し、テーブルに置いた板の上で粉を練っている。手の付け根から、ぐんと踏ん張った足の指先にまで、力がみなぎっている。この板は、シナベニヤという板を切っただけ。「わざわざ麺台を買わなくても、これで充分。洗っては干して、もう5年くらい使っています」。
料理家として、またひとりの主婦として、高山さんは毎日この台所で料理を作っている。おいしい料理が生まれれば、食卓は彩られ、家族も喜んでくれる。けれど同時に、ごみも出る。
「ごみは食べ物の延長。1本のにんじんも、たまたま使えた部分が料理になり、使えなかったところがごみになるだけ。だから、その日のごみってとてもきれいなの」

木の椅子の上は「いちばん出番が多い」という圧力鍋の指定席だ。壁面の収納や食器棚は夫のスイセイさん作。左・アンズの実の収穫にはスイセイさんの発明品が活躍。伸縮するつっぱり棒の先にペットボトル（胴の部分を丸くくりぬいてある）をとりつけたもの。

ほうっておくから、腐って、嫌われる存在になってしまう。だから始末はその日のうちに。生ごみは新聞紙で包んで水気を吸わせ、スーパーのポリ袋の中に入れて口をぎゅっと固く結び、ごみ箱へ。こうすれば回収日まで2、3日あっても、においも気にならない。

「火があって、水があって、食べ物がある。台所は生きている場所だから、きちんと世話をしてあげないと」

でも、あまり磨きすぎても、なんだか居心地が悪いという。

「使いこみながら、手入れされてきた台所って、風通しがいい。使いやすくなめらかで、清潔だなって思う」

台所が古びたり道具がすり減るのは、料理を作り続けてきた日々の記憶。

「そういう目に見えない記憶のようなものが、料理をおいしくするんだと思うんです」

上・葉ものの野菜は、一度水に放してやると生きかえる。それを冷蔵庫で保存する時は、「キッチンペーパーや新聞紙で、寒すぎないように服を着せてから」。こうすれば、元気な状態を保つことができる。下・食器用のふきんには、業務用の薄手のタオルを使っている。洗濯してたたんだら、向きを揃えて右端に入れ、左端から使っていくのだそう。

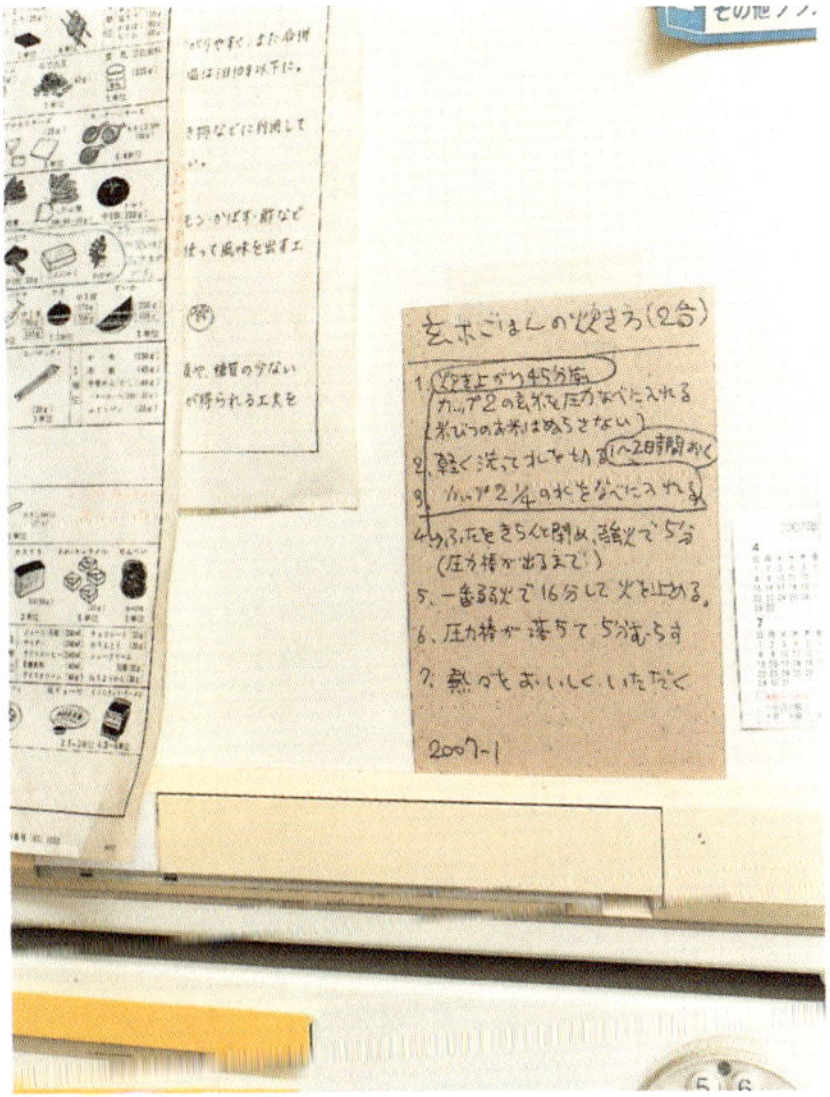

右上・冷蔵庫に貼ってあったのは、玄米ごはんの炊き方を記したスイセイさんのメモ。右下・最近、仕事で中国を訪れる機会が多く、老抽、生抽などの中国醤油やごま油などが、手の届きやすい場所に置かれている。高山さんおなじみのナンプラーはその後ろにありました。左上・ラップフィルムは、きれいな状態なら、洗って干すともう一度使える。左下・食器棚の下の段は、何も置かずにスペースをあけ、調理台として使っている。

上・シンクにぴったりの長さの板を渡して、ふた月に一度くらい包丁を研ぐ。すり減った砥石は５年ほど使い続けたもの。右・長さ60cm強はあるまな板は、木材の端切れを生かしたスイセイさんの手製。大きすぎて収納棚におさまらないため、右端につけた輪っかの金具に壁から垂らした針金をひっかけ、バランスをとっている。左・日本酒の熱燗用の酒たんぽは計量スプーンの定位置。

KING POTS
KS.3805N-4

“好ましい道具”から思いがけない味が生まれる。

長尾智子（フードコーディネーター）

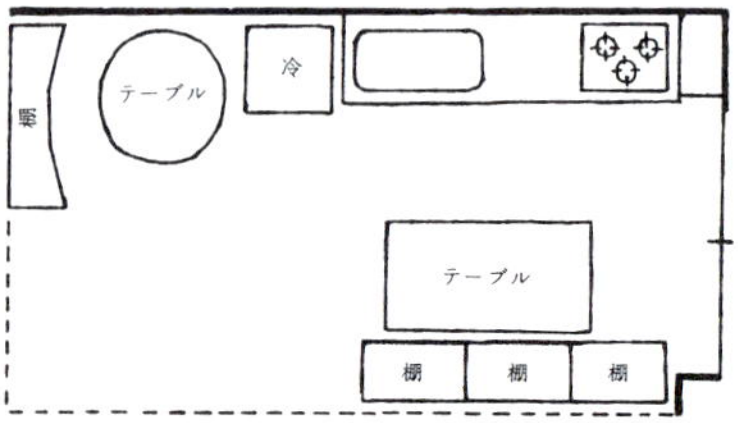

ながお・ともこ／本や雑誌で活躍するほか企業コンサルタント、メニュー開発なども手がける。著書に『今日のデザート帖』（メディアファクトリー）、『わたしとバスク』（マガジンハウス）など。以前からずーっと気になっている道具がモロッコの“タジン鍋”。水を一切使わない蒸し煮料理ができるとあって、「今年は必ず買いに行きます」。

木、陶器、ステンレス、アルミ。さまざまな
素材のスプーン。「小さなボウルとスプーン
はいくつあっても便利に使えます」。

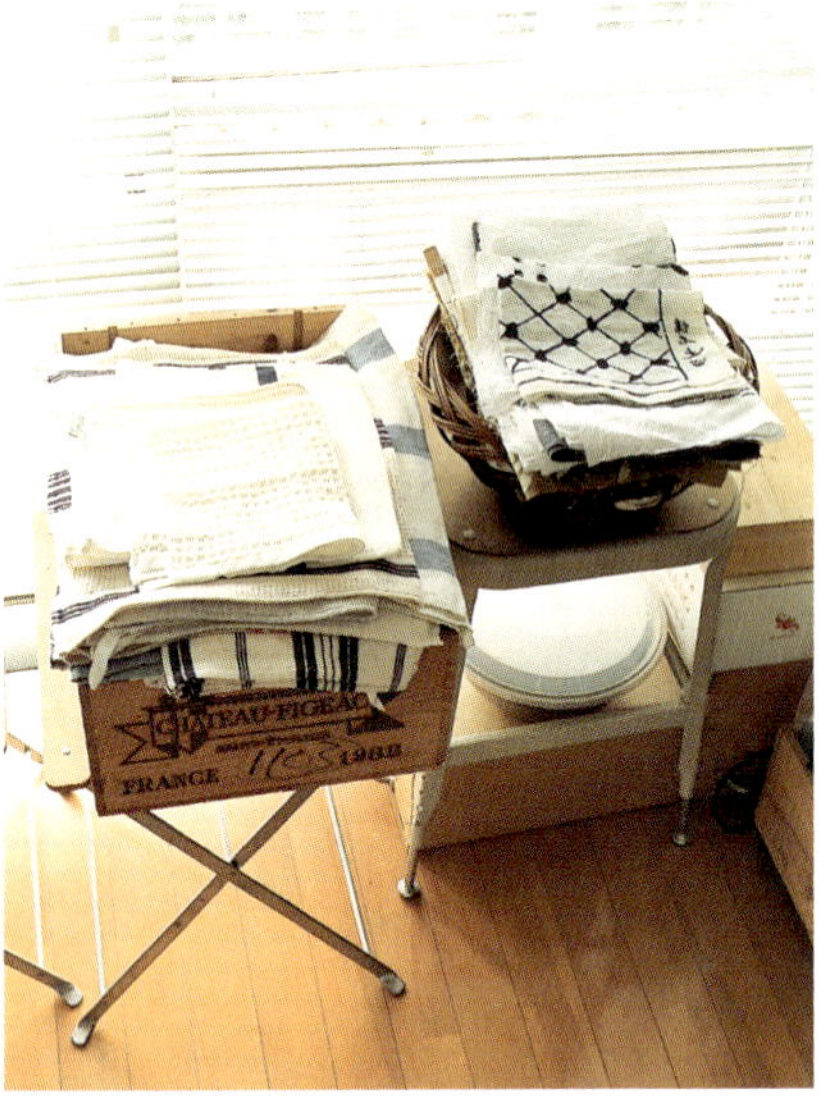

右上・ビジュアル担当のやかん君とステンレスのふた。涙型の切れこみからほどよく蒸気が逃げる。縁が段々になっていて、どんなサイズの鍋にも合う。右下・沖縄・国吉春子さんのわらび細工のかごには湯のみがきっちり。左上・まぜまぜ調味料。黒糖・きび砂糖・バニラビーンズのミックス、新潟の焼き塩・平戸の塩・藻塩のミックス、タイム・フランスの塩・バスクの唐辛子ミックス。「味を重ねていく実験が好きなんです」。左下・バスクの布と並んで、お寺やミュージアムショップで買ってきた手ぬぐい。お皿をふいたりするそう。左ページ・"レアジェム"の西條賢さんの食器棚とイームズの丸テーブル。こけしの雪さんがちょこん。

dosa818
818
s. broadway
12th floor
los angeles
california
90014

右ページ・"好ましい"道具。陶器製は京都・東寺の骨董市で。ほかはパリの蚤の市と雑貨屋で見つけたおろし金。上・半透明のパーテーションで区切られたリビングと台所。

　長尾智子さんのレシピを体験して感じるのは、長尾さんは味を再現する人なのではなく、味を発見する人なのだということ。素材同士、調味料の組み合わせがオリジナルで、知らなかった味を教えてくれるような。だからその台所は効率的な"ラボ（実験室）"のイメージだった。が、ご本人いわく、「効率性はほとんど考えないです(笑)」。長尾さんが台所に求めるものは、火のまわりが充実していて作業しやすい平らな場所があること、道具は、自分にとって大切な"好ましさ"みたいなものがあればいいのだという。単純に形が好みだったりとか、鍋のふたについている切りこみにピンとくるものを感じて台所に連れ帰ることもある。「収まりの美しさ」は欲しいけれど、それが効率的にスタッキングできるからいいというわけではない。素材としては、ステンレス、アルミ、鉄に惹かれる。けれどそれだけだと味気ない感じだからと、水色のほうろうのやかんをコンロに置いている。やかんの機能を考えたら、それほど働き者というわけではないが、台所のちょっとしたビジュアル担当なのだ。ほかに"好ましい"道具は、「スプーンですね。とくに木の。木のスプーンで何かすくっていると想像するだけで、おいしそうで幸せな光景に思えませんか？」。長尾さんは道具のお気に入りはあるけれど、これでなきゃダメというものは少ない。「いつでもどこでも料理ができる。道具に縛られない」といえる状態が理想的なのだという。既成概念に縛られることのないレシピは、長尾さんの頭のなかにある台所から生まれてくるのだ。

とりあえず、みんなのチルドレン。真似上手になってみる。

大橋利枝子（スタイリスト）

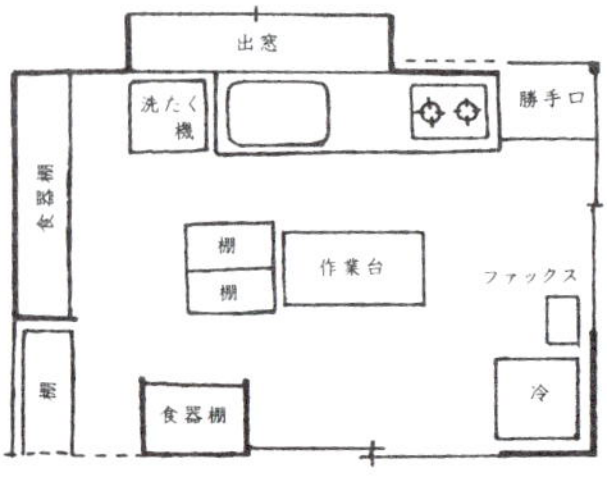

おおはし・りえこ／洋服から料理までのスタイリングをこなし、得意の手作りの本も出す。著書に『スモッキング刺しゅうの本』（マーブルトロン）、『手芸の本』（六耀社）など。写真上・秋田県のイタヤ細工のかごは「堀井（和子）チルドレンのあかし」。

右上・鍋は『アイザワ工房』のもので、デザインがどことなく北欧風、持ち手のカーブがラーメンを汁ごと器に盛るのにちょうどよく、とても気に入っている。左上・同じ鍋で煮卵も煮る。おいしそうな黄身！　右下・今夜の酒の肴。メニューはなめろうといんげんのしそ巻きなど。左下・すぐに使いたいものは出しておく。ビールの栓抜き、アイスの当たり棒。

どんなに疲れて遅くに帰っても、自分でちゃちゃっと料理をして食べるという大橋さんの家は、東京から電車で1時間の神奈川県・葉山にある。

　早く食べたい、より、早く飲みたい呑み助なので、作るのはもっぱら酒の肴。ビールは缶ではなく瓶に限る本格派で、台所のすみには、まばゆいシャンパンや渋いラベルの日本酒を並べた「すてきな飲みものコーナー」もある。

　大橋さんは自分を「片付けられない女」だという。片付けられない。でも、あきらめきれない。だから憧れの人の本などを参考に日々奮闘中で、いまはまだ進行形の台所なのだという。「ここは堀井（和子）さんの引き出しの真似、この調理台は有元（葉子）さんで」と、本を見て、いいなと思った諸先輩のアイディアはすぐに自分の台所に取り入れてみる。自称「みんなのチルドレン」だ。やってみてうまくいかないこともあるが、考え方さえわかれば、自分流に省略や応用ができる。真似は上達へのいちばんの近道と知る。

　日が暮れて、こしらえてくれたこの日の肴は煮卵、なめろう、いんげんのしそ巻きほか。聞けば、なじみの居酒屋の献立だとか。「どう？どう？おいしいでしょう〜〜」と目を輝かす大橋さんは、やっぱりとても勉強家なのだ。

右ページ・「使いやすく片付いた台所が理想」という。なってる気がします。左ページ・上・酒屋さんも野良猫も勝手口からやってくる。ビールはサッポロの小瓶。下・去年、庭になった梅の実ではりきって作った梅酒。1年ねかせて、しだいにおいしくなった。

フランスの鍋や北欧の台所道具に
使いこまれたゆえの美しさが宿る。

ホルトハウス房子

（料理研究家）

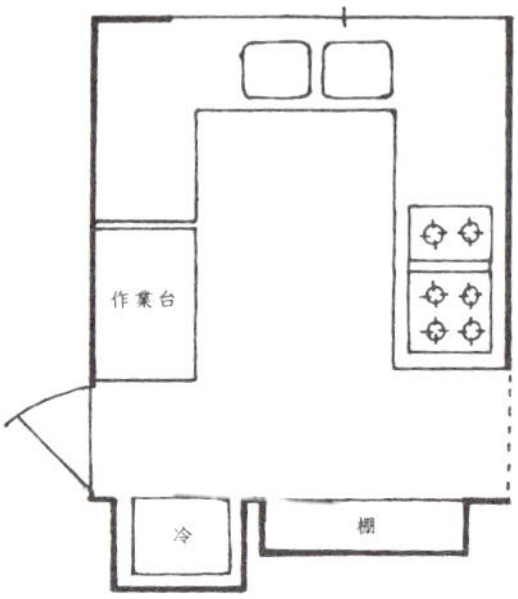

ほるとはうす・ふさこ／外国暮らしの間に、さまざまなおいしいもの、美しいものに親しむ。長年にわたり女性誌やテレビで西洋料理と洋菓子の真髄を披露。苦手はくだものの皮むき。好物は白いごはん。鎌倉の自宅の一角には眺めのいい菓子店『ハウス オブ フレーバーズ』がある。著書に『西洋料理』『日本のごはん、私のごはん』（ともに文化出版局）など。

15年ほど前に台所を改装した。以前は水色のタイルの台所だったが、「飽きちゃったの」。スペースは以前より広くなったが、鎌倉山の緑を映し出す窓はその頃からあった。

「私、なんでもかんでも長もちなの」

自分でも釈然としないという顔をして、ホルトさん（なれなれしくもこう呼ばせていただく）は言う。

「時々、正月の鏡餅のかびの出たとこみたいに、エイッて捨てられたら、どれだけせいせいするかしらと思うのよ」

台所仕事の基本は清潔と考える。とにかく使ったら洗いなさい、洗ったら干しなさい。その言葉を会話のなかで幾度となくくりかえした。ご自身も、これを徹底してやっていたら、知らぬまに長く一緒にいる道具がある。しかも洗うときは手抜かりなく「ガリガリ、ゴシゴシ」。道具はどんどん摩耗していく（「お腹にもずいぶん入っているんじゃないかしら」）が、ほうろうなんかは、はげてこそまた美しいと思っている。

少女の頃、家に赤いほうろうのポットがあった。幼な心にも使いこまれたそれをきれいと感じていたことをおぼえている。キラキラしたものには、昔からあまり惹かれなかった。

アメリカ人の夫と結婚50年。最初はあちこちを転々とする生活がつづき、大きな家具を買えないうっぷんを台所道具を買うことで晴らしていたようなところがあるそうだ。

『ル・クルーゼ』や『ダンスク』といった海外の銘柄とも、そんな暮らしのなかで出合った。日本ではお鍋といえばアルマイトの時代、見たこともないデザインと多彩な色に目を奪われた。使って、その美しさはつぶさに機能と結びついていることがわかった。

「いろんなものが、いまよりずっと高価だったけれど、私は台所のものを買うときはいつも思いきってきたわね。ちょっといいわくらいじゃ買わない。質はどうか、使い勝手はどうか、しまう場所も考えて、置いてきれいかどうかも。

右ページ・台所のお花型の時計はGE 社製でかなり古いもの。上・コンロの隙間で羽を休めるのは大理石の白鳥に真鍮のあひる。へらやお玉などを受けるもの。酉年生まれで鳥のものが台所の各所にある。下・シンクまわりには磨き道具がひと揃い。

水切りかごのなかのボウルも40年は使っているという『ダンスク』。柄がすでにかすれているのを見て、数年前に娘たちが新しいものを買い足してくれたが、どうにも手が出るのは使い慣れた昔のもの。手前は岩手の南部鋳鉄で、目玉焼きを焼いたり、餅を焼いたり。中華鍋など鉄のものは、乾かして油を塗って、といわれるが、酸化してかえって汚らしくなるので油は塗らない。すっぴんのまま、しまう。水切りかごの下に敷く厚手のタオルは、吸水性の高いバスマット用で、使った道具は洗ってここに干す。もしくはオーブンの余熱で丹念に乾かすのが習慣、水切りかご自体もじゃぶじゃぶと毎日洗う。

いつからか記憶にないほど愛用している『ル・クルーゼ』の小鍋は、ひとりぶんのごはんを炊いたり、牛乳を温めたりと休むひまがない。磨きこんで底のほうろうがはげ、鋳鉄がのぞく。昔のものは縁もぼってり厚く、いまより丈夫だった気がするという。値段も当時は目玉が飛び出るほどだった。

友人がスイスにスキー旅行に出かけたときに買ってきてくれたお土産。とりわけ使い勝手がいいわけではないけれど、思い出だし、手彫りのエーデルワイスが可愛らしくて、サラダサーバーとして長く使っている。木のものも手加減せずにごしごし洗うので、スプーンのすくう部分はすでにかなり摩滅している。

なにしろ、よーく考えて、それから思いきるの」

　置いてきれいか、については、棚のなかのことまで考える。重なりはきれいか。必然的に、同じ銘柄、限られた色が集まることになった。

　くわえて要は洗い勝手がいいかどうかだ。くまなく洗えるということ。

「お鍋の場合、ここ（と取っ手のつけ根あたりを指す）が洗いにくいのよね。だから私、それ用のブラシを探してきてガシガシやってるの。包丁も柄まで。洗いに使ったブラシも洗う。とにかく全部よ。使ったんだもの、あたりまえでしょう？」

　木のもの、塗りものも、洗剤で手かげんせず。ほうろうも鉄も磨き粉でガリガリ。汚れを落として、そして、完璧に乾かす。オーブンを乾燥機がわりにも使う。翌日に忘れて火をつけ、ものを焦がすこ

漆、陶器、磁器と大切にしている什器が並ぶ食器棚。季節が変わるたび使う食器をすべて入れかえているという。

と、しばしばでも。

「底がはげてもかまいはしないのよ。それより、こびりつきや、前の料理のにおいが残っているほうが困ります。家庭料理にメリハリがないのはそこに鈍感なせいじゃないかしらとも思うの。私は、おいしさの6割はにおいだと思っています。もののために洗うんじゃなくて、つぎの料理のために洗うのよ」

つまり、ここに残る道具たちが生来どれだけ頑丈だったかということ。私は酷使はしたけど、大切にしてきたわけでは、ちっともないのよ。そう言ってホルトさんは笑う。

「それでも素性のいいものには、いつしか年輪みたいなものがつくんでしょうね。なじんで、独自の、よそゆきじゃない美しさが生まれてくる。すると、また捨てられなくて」

鏡餅というわけには、やっぱりいかない。

アメリカで購入し、25年近く使っているほうろうのボウル。だるまのようなめずらしい形で、置けば座りがよく、片手で縁をつかんで、ひょいと持ちあげるにもいい形。意外に容量があるので、スープストックをこすときなどにも使う。デンマークの『ダンスク』のものだが、'70年代の人気テレビ番組『世界の料理ショー』の名司会者として活躍したイギリス人、グラハム・カー氏がプロデュースした限定シリーズだったという記憶がある。

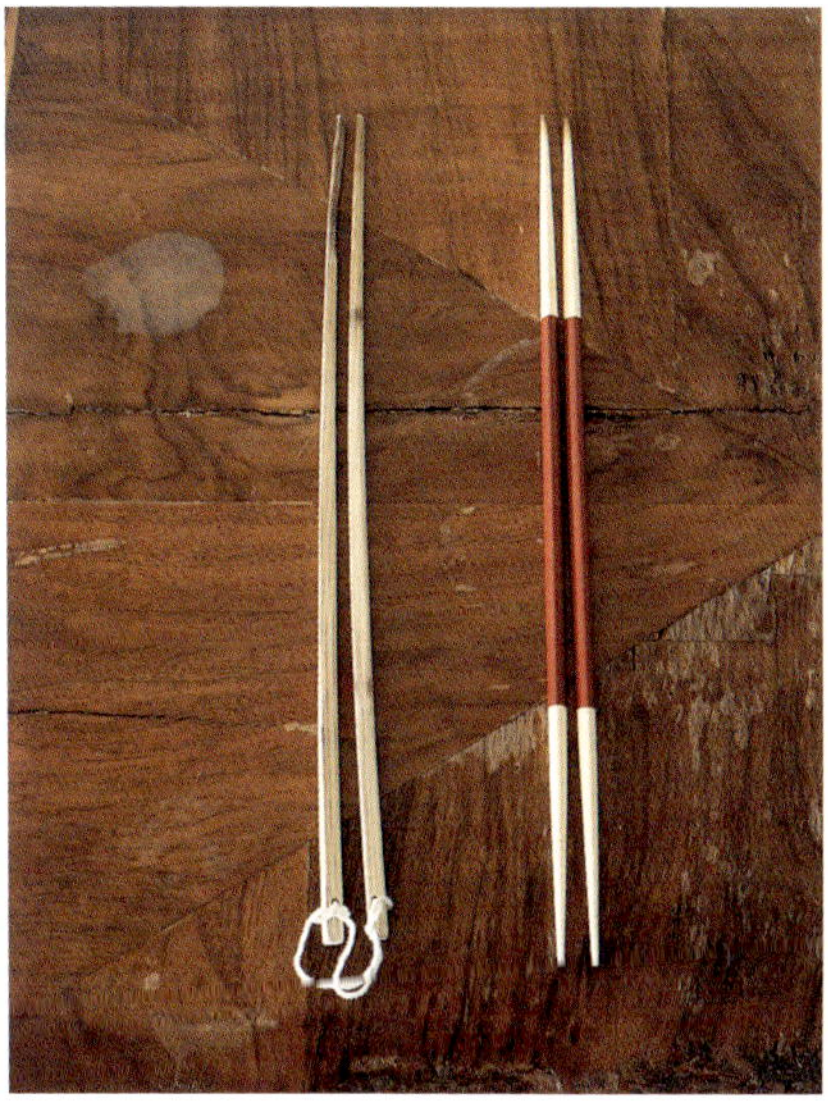

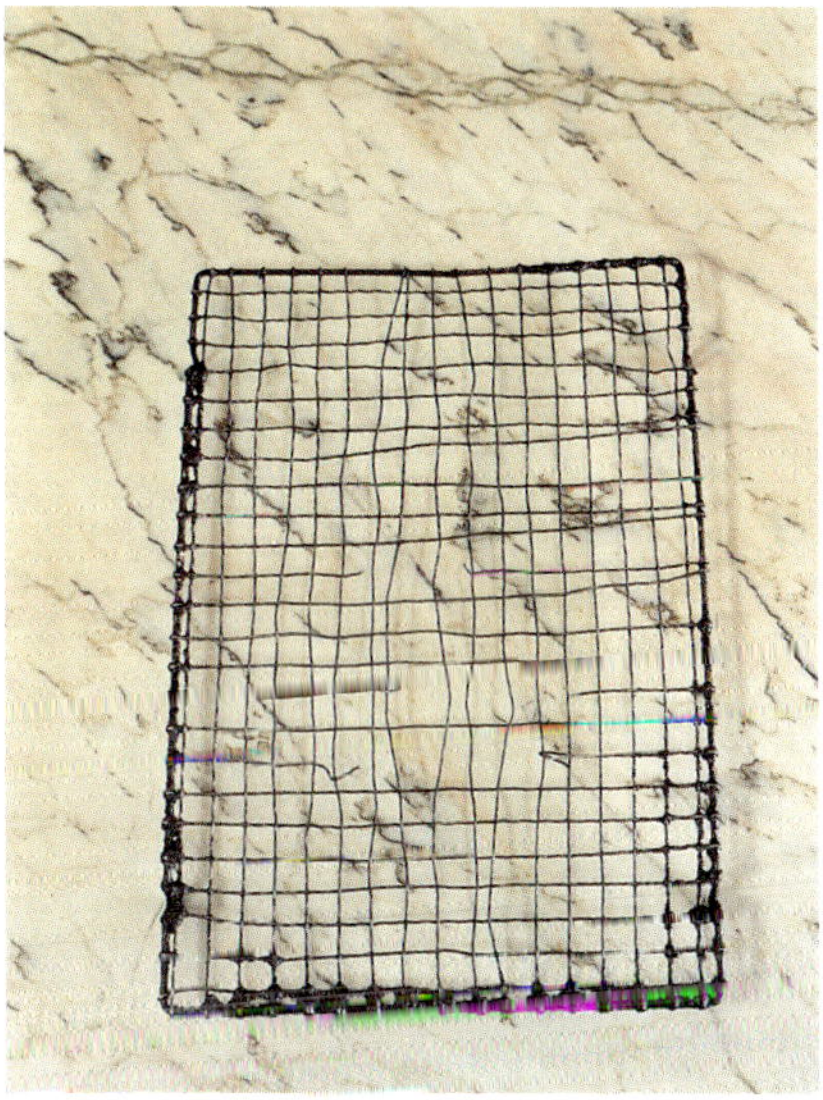

右上・鋳鉄のパンは熱伝導がよく、ドミグラスソースもいい色になる。すき焼き、揚げ物、何にでも。へらはフランスの『マトファー』のもので、とにかく丈夫。手になじみ、よくしなる。右下・大昔にアメリカで買い求めた焼き網。使って、使って、使いぬいたけれど、持った感じが何とも柔らかく、その感触が好きで捨てられない。左上・菜箸のたこ糸は使いやすい長さにつけかえて使う。箸先は焦げなどを削りながら細く保つ。右は京都『市原平兵衛商店』のもの。左下・デザインと色、ふたの上に鍋が重なるという機能が気に入って、約25年前にアメリカで購入した『ダンスク』のお鍋。はげたほうろうには独得の美しさを感じる。

そこまでするの？
台所のまめまめ工夫 ②

ひとつのごみ箱でも分別可能

２枚のごみ袋の端を結び合わせて、ひとつのごみ箱の中にセット。可燃用と不燃用です。「ごみ袋とごみ袋が手をつないでるんですよ」。（松長絵菜）

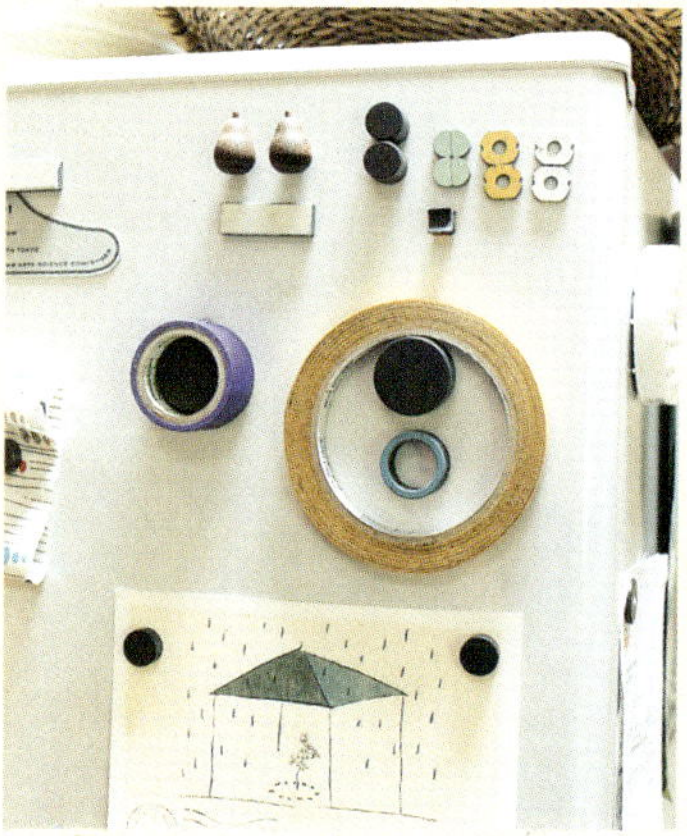

マスキングテープは手の届くところに

開封した食材に封をするのに何かと便利なマスキングテープ。冷蔵庫の扉に貼りつけたマグネットにひっかけておくと便利。（石井すみ子）

シンクのごみ受けが丸見えに

ゴムのふたはすぐにヌメヌメしてくる。ふたを取りはずし、丸見えにしておくと、すぐにごみを捨てて洗うようになるからいつも清潔。（高尾 汀）

おばあちゃんの知恵？

卵の殻は捨てずに保存。口の狭いびんの中を洗うとき、殻と水を少々入れて振ると中がきれいに洗える。お母さんに教わったそうです。（塩山奈央）

洗剤は霧吹きに入れて

油汚れに強いオレンジ系の洗剤、木の床用の洗剤などを薄めて霧吹きにセット。シンク下の扉の内側にひっかけておくとすっきり。（米沢亜衣）

白木の棚にひと工夫

ふたつ並んだ食器棚は、もとは明るい白木のパイン材の『無印良品』の棚。これにオイルステンという塗料を塗るとこんな風合いに。（渡辺有子）

パスタの空き箱も活用します

棚の右下に重ねてある赤い箱は、同じメーカーのパスタの空き箱。開封したパスタは、輪ゴムでとめて、この箱にひとつずつ分類しておく。（松長）

掃除道具はかごにまとめる

洗剤やまな板用のやすり付きのスポンジなどを入れたかごが、台所のすみに待機。汚れを見つけたら、家じゅうどこでもすぐ出動。（松長）

新しい道具はいらない。手になじむ道具だけあればいい。

高尾 汀（主婦）

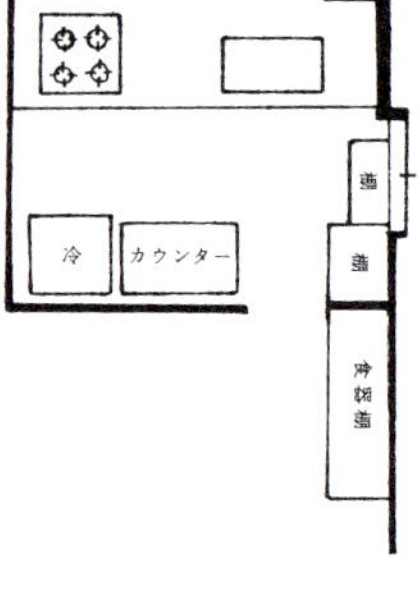

たかお・みぎわ／長年、料理研究家ホルトハウス房子さんの料理教室に通い、その道具選びも参考にしているという。手になじむ道具をと、自分で鍋つかみやエプロンを縫っていたところ、ホルトハウスさんのお気に入りエプロンとして話題になり、布小物作家として、来春、本を出す予定。写真上・自作の鍋つかみ。中にはタオルが入って柔らかい。

嫁入り道具に持ってきた銅底の鍋。大中小と
魚用グリルが１セットだった。

右上・キッチンペーパーの下の棚は風景のじゃまになるからと自分で切った。左上・とうもろこしを焼くときに使うスティック。左下・「母さんの台所はコックピットみたい」と息子がくれた飛行機のマグネット。

「家を建ててから慣れない頃は、部屋の中でも麦わら帽子をかぶってたのよ」というほど明るい高尾家のリビング。台所はそのリビングを壁一枚で区切った一角にある。部屋の広さを考えるとこぢんまりとした印象で、家を建てるとき、建築家にそれまで使っていた台所道具をすべて見せ、それに応じて作ってもらったサイズなのだそう。ステンレスは味気ないからと、シンクの天板にはタモ材の一枚板を使った。シンクの上、背後のカウンターの上にも木製の棚があつらえられているが、ほとんど何も置かれていない。物が少ないのだ。聞けば、40年前に結婚した頃に揃えた道具をずっと使い続けているから、あまり新しい道具はいらないのだという。「道具は、手になじむものがいいの。この鍋は結婚するとき揃えたもので、

右上・無垢のひのきのトレイは飯台の代わりに使うことも。右下・結婚以来使っている木のスライサーとお玉。左上・壁にかけているアンティークのコーヒーミル。まだまだ現役です。左下・木のものは使ったらすぐに乾かすようにしている。

上・冷蔵庫は昔の『BOSH(ボッシュ)』。ちなみに掃除機は34年前の『エレクトロラックス』が現役。左ページ・鋳鉄のスキレットに『マトファー』の小さなフライパン。こちらはホルトハウス房子さんのところで出会った道具。

銅底をいつもぴかぴかにしておきたいから、せっせと磨いてねえ」。今朝もこれで夫が白米を炊いてくれたと笑う。サラダのときに活躍する木のスライサーも嫁入り道具。冷蔵庫とも30年以上のおつきあい。そして高尾家にあるお玉は、結婚以来たったの一本。「あれ？ 少ないかしらねえ？ ちゃっと洗えばいいだけよ。お玉をにぎる手はひとつなんだもの」。物が少ない理由を聞くと、「私は、一回買ったらとことん使うのよね。手になじみそうなものをよく選んでね」。それに使わない道具ほど、ほこりがたまったり、汚れてしまうのも気にかかる。棚に道具があふれていると、棚そのものもふきづらい。道具を長くもたせるコツは「なにしろ使ったらすぐ洗って乾かすこと」だそうです。

頭の上にも手元にも
棚をとりつけ、ぶらさげる。

塩山奈央（パタンナー）

しおやま・なお／好きな素材は豆と雑穀と発酵食品で、本誌『クウネル』連載の「ただいま食事中」でその食いしんぼうぶりを発揮したことも。豆料理研究家でもある。『はじめてのリメイク』（自然食通信社）にリメイクアドバイザーとして協力。写真上・チャパティには、専用の袋を手作り。入れておくとしっとりとしておいしい。

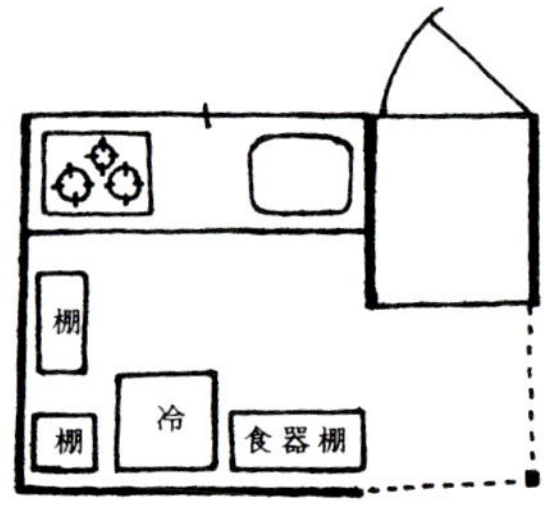

蛇口上の板も頭上の板もぜんぶ自分で取りつけた。部屋中あちこち板を渡し棚として活用。

日当たりのいい木造アパートの一階、庭から風がさあっと部屋を抜けていく。この小さな台所の主、塩山奈央さんは、シンクに向かっていた体をひょいとターンさせては必要な皿を選び、しゃがんでは、小さな棚から、昨年手作りしたという味噌や祖母が作った乾燥栗を取り出す。その動きに迷いはなく、至るところに目が届き、そして手が届いているようすだ。

壁には2本の細いポールと木の枝を上下に渡している。ひっかけている道具は、お玉はもちろん、計量カップに、にんにくの入った小さなざる。思いつくかぎりの軽い調理道具がぶらさがっている。蛇口の上に渡した板の上ではスライスしたしょうがを干し、冷蔵庫横の壁には、なんとまめまめしいことか、かつらむきした大根の皮ひとつひとつに糸を通してぶらさげて、必要な分だけちょこちょこ切っては使うという。さらに、玄関から部屋に至る鴨居の上に渡された板からは、ナナカマドの実の焼酎漬けや自家製玄米酵母の瓶が、忙しく立ち働く塩山さんを見下ろしている。

自分が必要だと思うものをあきらめることなく、小さなスペースをなんとかやりくりしている塩山さん。自分サイズの暮らしが、ここにはちゃんと息づいている。

右ページ・ステンレスの打ち出し鍋は知人の作家さんの試作品。形が美しいのでそのまま食卓に出すことも。食材は宅配を活用。左上・大根の皮はもったいなくて捨てられない。かつらむきにするとちょうどいい。左下・ふつうチャパティは水と全粒粉と塩で練るものだが、塩山さんは手製の酵母液も入れて練る。

衣替えの時期にはキッチンクロスをちくちくちく。

山崎陽子（フリーランス・エディター）

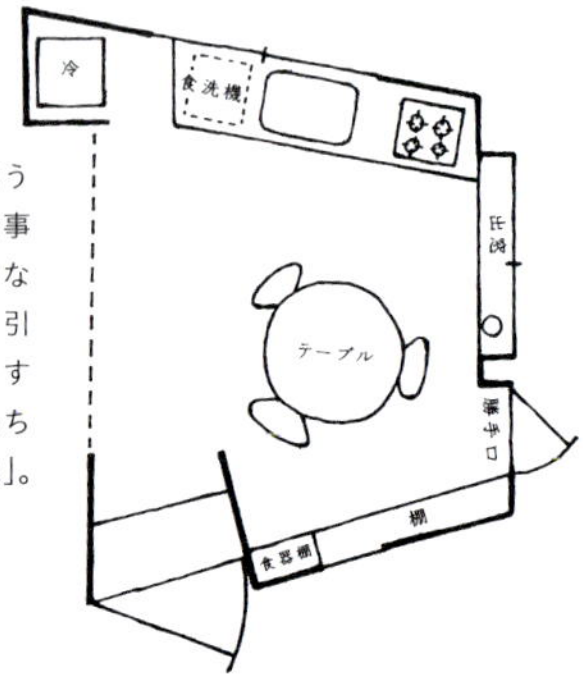

やまさき・ようこ／本誌の手作り記事やおうち仕事の連載をはじめ、女性誌で活躍。仕事・家事・子育て・介護と目の回る忙しさのなか、楽しみはバレエのレッスン。写真上・引き出しもこのとおりすっきり。「とにかくすべてがステンレスだから、気がついたらあちこちふきんできゅっきゅっとやってますね」。

「生ものには青い洗濯ばさみ、だしの素にはこのちっちゃなクリップがぴったりで、ベルマークには……」と小さな存在にもきっちりお仕事が割り振られている。

「台所は風が通って、日が当たる場所がいい」。山崎さんの住まい選びはいつも台所優先。これまで引っ越した先すべて、台所に窓がある家だったそうだ。この椅子に座って、ときにはぼーっとすることもあるとか。

山崎陽子さんの台所は、とことんシンプルで機能的に見えた。板金屋さんにオーダーした、オールステンレスの台所。鍋も調味料も引き出しにすべてしまわれ、すっきり、ぴかぴか。外に出ているのは、まな板、調理バサミとキッチンクロスくらいのもの。そのクロスの端には、壁のフックにかけるためか、チェック地のループがついていた。お手製ですかと尋ねると、リネンをまとめて買って裁断し、ループのみならずクロスをぜんぶ自分で縫ったのだという。かごに収納してあるマットも、リネンとストライプやチェックの生地を合わせてリバーシブル仕様で縫った。土ものの器を重ねるときには、ぶつけて欠けたりしないよう保護するために、また湿気対策のためにも、間に、やはり手製の小さなマットを挟んでいる。感心していると「じつは、クロスのループもマットも、夫が着なくなったシャツをほどいて縫ったものなの。いい生地はもったいないじゃない」。

キッチンクロスを縫うタイミングは年に2回の衣替えの時期、と笑う。

いったん役目を終えたけれど、家族の愛着あるものを無駄なく、かしこく使う。つるつるぴかぴかの台所には、手作りの布使いのあたたかさがひそんでいた。

右ページ・お皿と愛用のふきんはいつも特等席。左上・なかなか乾かない土ものの器には、小さな四角い布マットを縫って、間に挟んでいる。左下・ぬるぬるするので、「洗いおけも水切りかごもやめました」。かわりに、ふかふかのワッフル地を敷いて、洗ったお皿を並べてからふく。

朝ごはん、こんな器でいただきます。

料理上手は食いしんぼう。だから、
「朝ごはんは必ず食べる」派が大多数。
どんな器が朝ごはんの相棒ですか？

朝のみそ汁は煮干しでだしをとって、具は単品主義。「今日は絹さやで、器は木を大切に扱う作家さん、仁城義勝さんの漆椀。飯碗は浅井純介さんので、もう5、6年は使ってます。この組み合わせ、相性がいいと思う」。ちなみに最近ごはんは胚芽米派だそうです。（高橋みどり）

「朝はダメ人間でいつもギリギリなので、朝ごはんはキッチンで立ったまま食べます」。コーヒーはミルク多めでファイヤーキングのカップ。バターケースはNYの朝市で安く買ったオールドパイレックス、皿は「どこで買ったか忘れたけどほうろう製」。（ケンタロウ）

「磁器のごはん茶碗もいいけれど、土もののほうが好きみたい」。これは西荻窪の『魯山』で購入した。岩のりのみそ汁にはタイ製の朱色の塗り椀。「きちんとした日本の塗り椀にも憧れるけど、ふだん使いとしては、まだ勇気が出なくって」。（大谷マキ）

朝ごはんはパンとジャムとコーヒーと果物が定番メニュー。桜の木のお皿は使いこまれていい色に。「陶磁器だけの食卓よりもどこかに木の物が入っているほうが温かみがあって好きですね」。右上の小さな器も桜の木で、ナッツのはちみつ漬け入り。（伊藤まさこ）

「茶碗は真っ白じゃないほうが、ごはんが映えておいしそうに見えると思う」。愛用しているのは額賀章夫さんの器。ごはんははとんど玄米食だ。かぶのみそ汁の椀は、手になじむカーブと、たっぷり入る大きさが気に入っている。ふだんの朝はパン食だが、今回はごはんの器を見せてもらいました。（高山なおみ）

棚をとりつけ、扉をとりかえ、
コツコツ作る、自分だけの台所。

大谷マキ（スタイリスト）

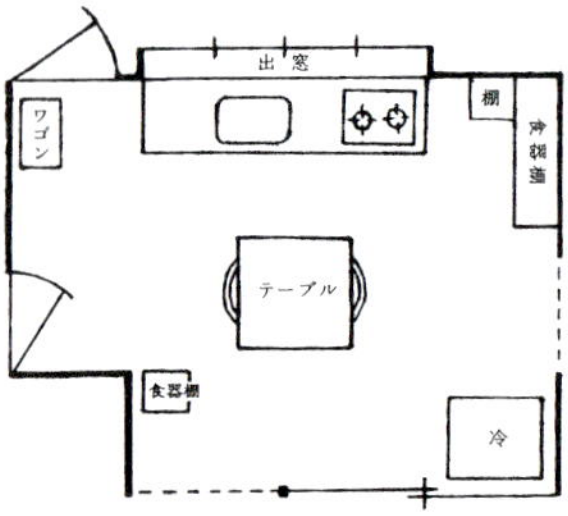

おおたに・まき／食と暮らしまわりのスタイリングを手がける。著書に『布じまん』（ネコ・パブリッシング）が。「台所の中って、クローゼットの中よりも性格が出そうな気がしますねぇ」。写真上・コーヒーのドリップフィルター。使わないときは、乾燥して生地が弱らないよう水に浸しておく。

シンク下の白い扉はすべてはずし、手製の扉
につけかえた。シンクには祖母の手編みの白
いアクリルたわしが。とうもろこしの入った
ガラス器は、漬け物をつけたりざるを干した
り、日ごとに役目が変わる。

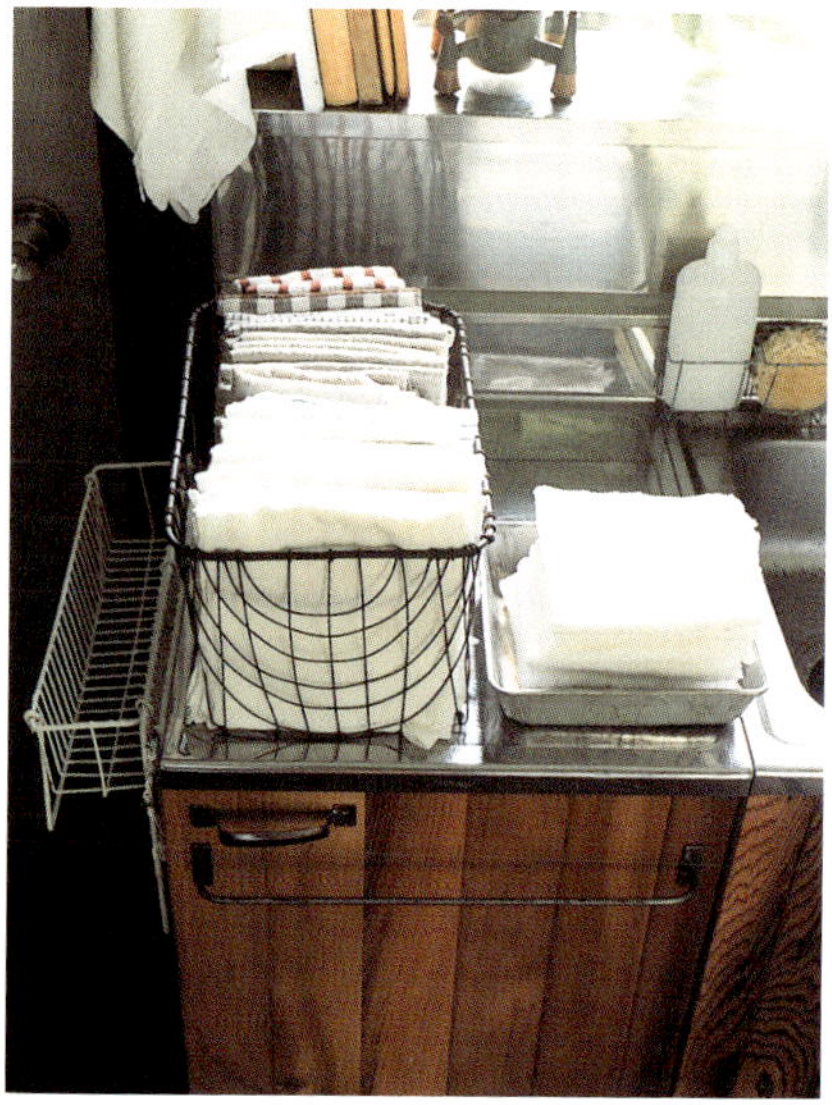

右上・台ぶきんは『びわこふきん』、食器ふきのクロスは、以前『ウイリアムズ・ソノマ』で買った白がいちばん好き。右下・壁に取りつけたアンティークのケースには、アルミホイル、ラップフィルム、キッチンペーパーが収納できる。左上・冷蔵庫の上に置かれたざる。じつは後ろに置いてあるオーブンの目隠し。左下・鴨居の上の棚も自分で取りつけた。

楕円のケースの両脇にあるのは、タイで買ってきたミニつまようじ入れと、調味料をすくうのにぴったりなミニミニスプーン。

リビングのソファに腰掛け、隣に続く台所をじぃーっと眺めるのがたまらなく好きだという大谷マキさん。

「ここからですね、全体のたたずまいを確認するんです。うむうむ、木のさじはあそこの場所でいいんだな、とか。道具の使い勝手はもちろん大切だけどスタンバイしているときもかわいくあってほしい」

たとえば水切りかごを手に入れたら、しばらくの間はそれを持って台所をうろうろし、あちこちに置いてみて、しっくりとくる居場所を探す。それでも納得できなければ、その道具がおさまる場所を自分で作ってしまおうというのが、大谷さんの考え方。

また、シンク下の戸棚には、もとは白い扉がついていたのだが、「茶色の木の扉にかえたほうが、きっと良くなる」という気持ちがむくむくとわい

工具箱を使った調味料入れののったワゴンは、ふだんは台所の隅に待機、調理中だけガス台の脇に移動させる。天板の周囲に金ぴかの縁取りがついていたのが嫌で、縁取りを取りはずして使っている。

てきて、すべて手製に取りかえてしまった。「大変だったのでは」と問うと、「そんなことないですよ。材料は少しずつ買いそろえていたので作業は1日だけ」というから驚く。

作り方はこんなふう。扉のサイズに合わせてカットした木製の壁材とベニヤ板を木工ボンドで貼り合わせ、裏側から上下に釘を打ち、取っ手と蝶つがいを取りつけて固定すれば完成だ。しかも風合いを出すためのオイルステンの塗り具合や、やすりの回数を扉ごとに変え、全体が均一な印象にならないようにしている。小さな部分にこそこだわり、手間をかけた愛着ある台所。目下の悩みは「棚を取りつける場所が、家中探してももう見つからないこと」という大谷さん、今日も台所を眺めつつ、次なる大工仕事の構想を練っていることだろう。

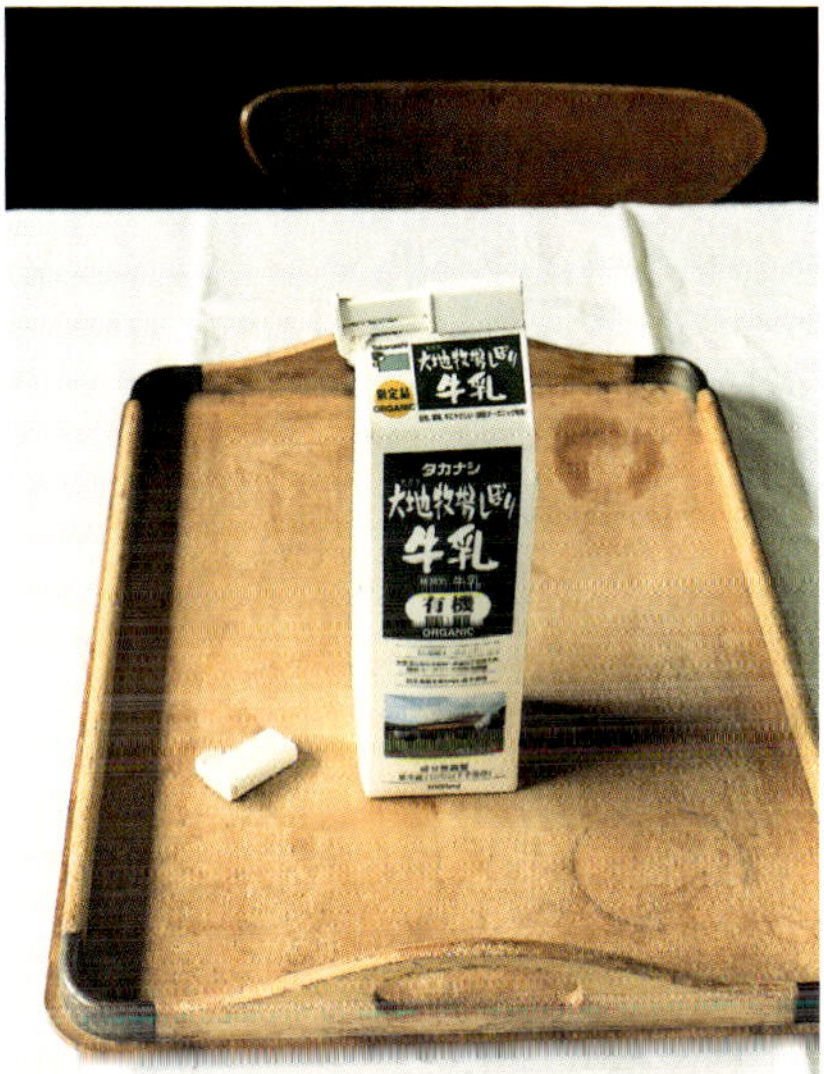

右上・お米は虫がつかないよう、冷蔵庫で保管。右下・蝶つがいのネジを回して扉の間隔を調節。扉の裏には包丁立ても取り付けた。左上・古道具屋で見つけた棚にはオリーブオイルを塗って風合いを出した。左下・紙パック専用のクリップは子ども時代からの必需品。

必要なものを、必要なところに。
それが美しければ、なおうれしい。

松長絵菜

（料理研究家）

まつなが・えな／料理だけでなく、写真、文章も手がける。著書に『COOK BOOK』（女子栄養大学出版部）などが。この部屋に住んで２年半。台所づくりは今も試行錯誤中。「住みながら、料理をしながら、楽しくて使い勝手のいい台所を考えていきたい」。写真上・パリから持ち帰ったガラスのクロシェ。この日は鳥の巣のカバーに使われていた。

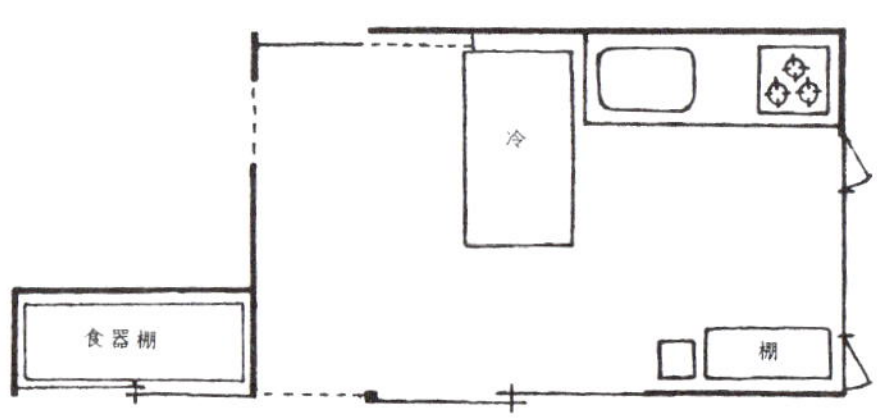

ガス台の奥には料理用の刷毛と粒こしょう。
ふたつ重ねた容器には、輪ゴムとピンチが。

シンクの上の吊り棚に置いてある、うすはりのガラスのジャーには、たこ糸がオブジェのようにぽつんと入れてある。その前に立つのは、小花柄のエプロンドレスを着た料理研究家の松長絵菜さん。薄紅色をしたかぶを切り分けながらこう言った。「たこ糸はブーケガルニにもお肉料理にも、誰かにおすそ分けを包むときにも使う、とっても出番の多いものなんです」。

ガラス器が好きで、パリで大きなクロシェにひとめ惚れし、割れないように大事にかかえて持ち帰ったこともあるという。台所にはそんな繊細で美しいガラスの器がいくつも並んでいるのだが、その中には必要なものだけが、手の届きやすいように入れてある。

ものの置き場所は、自分の動線を見極めながら決めている。引き出しの中の2本の包

光がさし込む明るい台所。棚に並んだガラス瓶にはバラのお酒やきんかんのコンポート、『ゲランド』の塩やたこ糸が入っている。

丁は左側が定位置で、これは「作業台に立ったときに、取り出しやすいから」。大きいほうの洋包丁は、父から贈られたものだそう。「大事なものだから、特別席を作ろう」と思い立ち、お菓子の缶ぶたを手ぬぐいでくるんで磁石を貼りつけて、ひっくり返して引き出しにセットした。包丁はぴたりとくっついて行儀よく並び、開け閉めのときにもがしゃがしゃと動くことはない。刃が触れる部分は布なので、錆びる心配もない。こんなふうにあれこれと策を練るのも、彼女の楽しみのひとつだ。

「こう見えて、ちゃんと考えてるんですよ」と胸を張る松長さん。でも包丁置きの手ぬぐいは、お気に入りの鳥獣戯画の図案だ。使い勝手のよさを追いかけながら、かわいらしさも手放さないところは、さすが乙女。

右・台所の隣の部屋の押し入れの中が食器棚になっている。上の段に棚をふたつ置いて器などを収納し、下段には乾物やお酒などのストックを。下・同じ部屋の一角にある、ガラス器を並べた木わくのガラス棚。手前には毎年漬けている果実酒がずらり。

Baking Soda

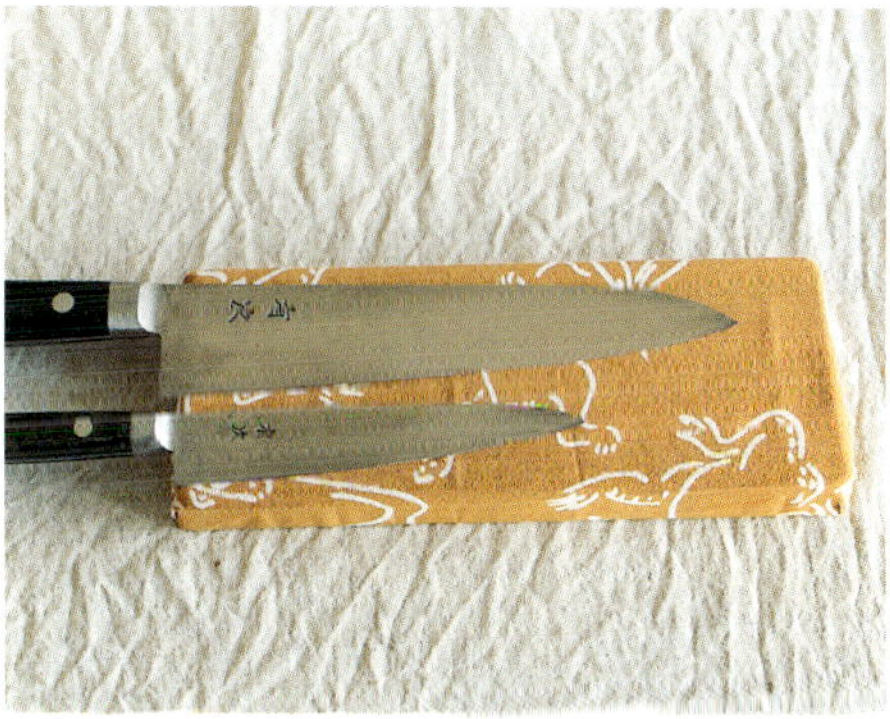

右ページ・業務用のテーブル型冷蔵庫。ぬか床の入ったほうろうストッカーの傍らには、紙箱の端に穴を開けたベーキングソーダが、脱臭のために置いてある。左ページ・上・作業台に近い左側には包丁、ガスコンロに近い右側には菜箸を収納。真ん中の小石は箸置きに。下・缶ぶたを手ぬぐいで包み磁石をつければ（右）、刃がぴたりとくっつき安全（左）。

そこまでするの？
台所のまめまめ工夫 ③

シンク下に、ささやかな収納

「ごみ袋を取り出しやすいように」と作ったミニ収納。ステンレスの箱を戸棚の扉の内側に、はがせる両面テープでぺたりと貼っただけ。（松長絵菜）

漬け物専用器がなくても大丈夫

広口のガラス容器に、叩いたきゅうりを入れて漬け汁を注ぎ、小皿をかぶせて石をのせる。冷蔵庫でしばらくおいたら浅漬けの完成。（石井すみ子）

いらない布はぞうきんサイズに切って

着られなくなった服など不要な布は約20cm角に切っておいてぞうきんがわり。一度使ったら汚れを探して使い尽くし、そのつど捨てる。（伊藤）

木匙にもオイルトリートメント

木の器や匙が乾燥してきたなと思ったら、まとめてお手入れ。古くなったオリーブオイルなどを塗り込んで、干します。（伊藤まさこ）

小さなナイフをひとまとめ

ペティナイフなどの小さな刃物。引き出しに置くと危ないし、探すのも大変なので、古道具屋でみつけたガラス器にひとまとめに。（大谷マキ）

同じ容器で気持ち良く

プラスチック容器に小麦粉、調味料などを入れ、シールを貼って分類。「中身が一目瞭然で料理中に反射的に取り出せるのがいい」。（米沢亜衣）

詰め替えればコンパクト

茶葉やティーバッグはもとの包装のままだと収納時にかさばる。サイズの揃った丸い空き缶などに詰め替え、さらにそれを『開化堂』の茶筒に。（松長）

台所にごみ箱はいりません

シンク横の窓の下に小さなフック。透明のビニール袋をひっかけたら、ここが台所のごみ受け担当。たまったら玄関脇の大きなごみ箱へ。（高尾 汀）

気に入らないところは手を入れて。
きっちりさんの青い台所。

柳瀬久美子（フードコーディネーター）

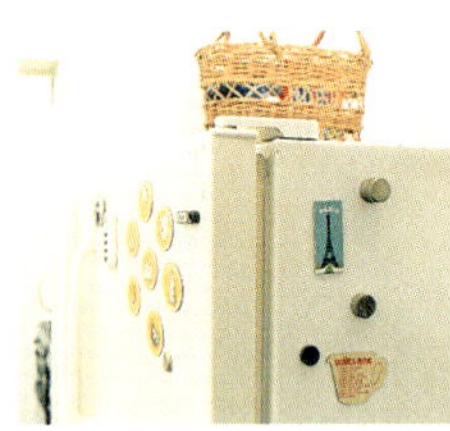

やなせ・くみこ／お菓子職人を経てフランスへ留学。帰国後は広告、本、雑誌を中心に活躍する。都内でお菓子教室を主宰。著書に『白いお菓子』『はたらく道具 使う器』（ともに主婦と生活社）など。写真上・柳瀬さんの台所にはところどころパリを思わせる小物があって、冷蔵庫の脇にもエッフェル塔のマグネットがピタリ貼られていました。http://www.k-yanase.com

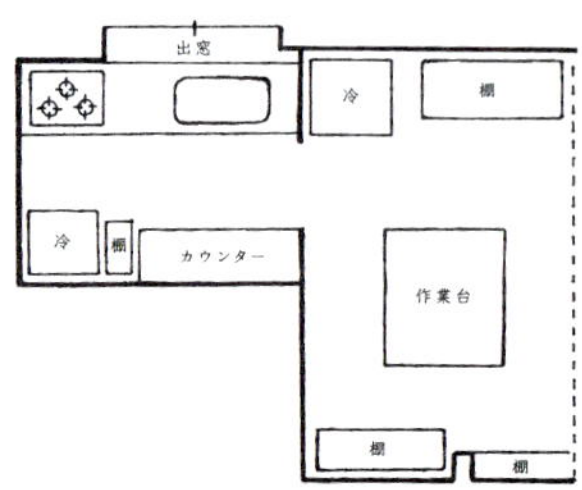

シンクの水切りかごがおそうじ道具入れ。料
理中はかごごとシンクの奥のスペースに。

STAINLESS STEEL

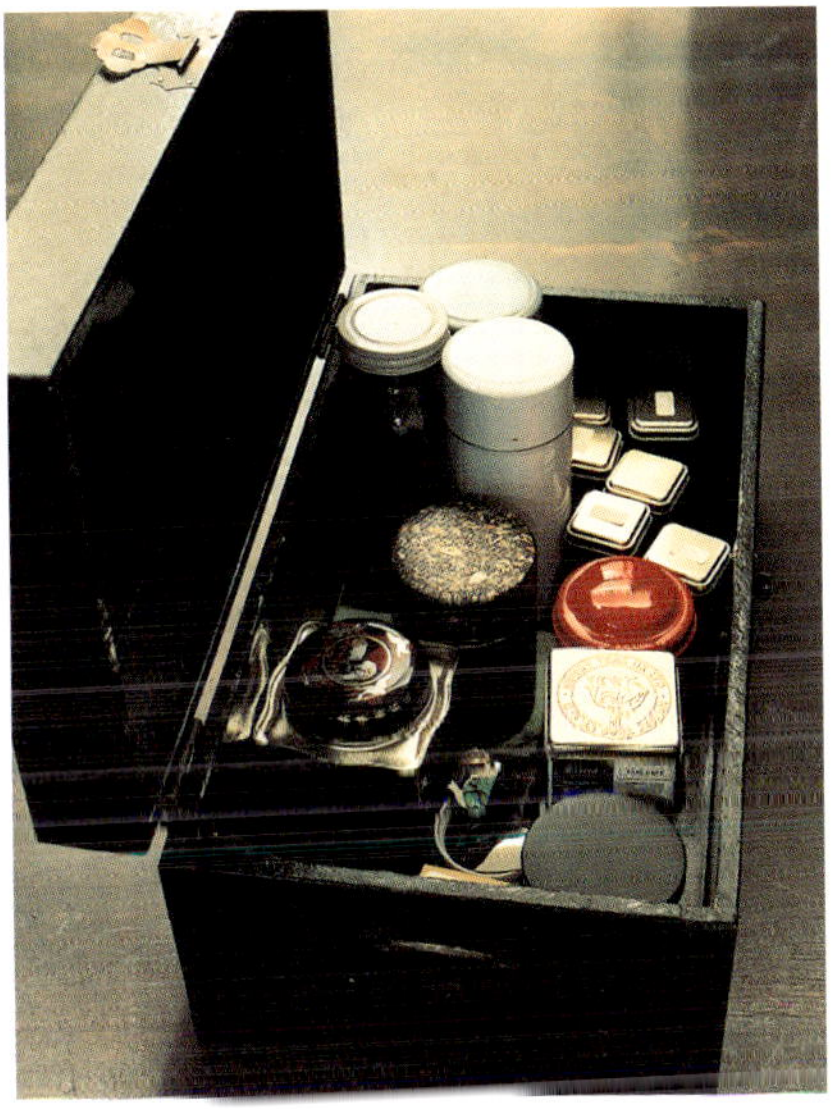

右ページ・ほうろうの引き出しにマグネットで包丁を固定。逆さまにしているのが、根元を薄く研いだ包丁。左ページ・右上・じつはブルーが台所のテーマカラー。右下・作りつけのカウンター下にごみ箱ふたつ。するっと引き出せる。左上・コンデンスミルクの定位置。「ふたを下にするとダーッと出ちゃうから」。後ろは木のふた。こうしてひっかけておくとよく乾く。左下・台湾で買ってきた行李にお茶関係をまとめて。

上・ブルーが涼しげな水まわり。柳瀬さんお気に入りの扉がほうろう製のキッチン。切り離したひと扉ぶんは棚として捨てずに活用。下・教室のときはこちらで作業する。作業台は以前使っていたチェストをふたつ背中合わせにしたもの。なかにはお菓子作りの道具がぎっしり。

白いほうろうのシステムキッチンに白のタイル張りの壁。柳瀬久美子さんの台所は一見なんの変哲もないように見えて、じつはさりげない工夫が加えられている。「じつは扉ひとつぶん、シンク下の棚を切り離しました」。さらに、「ちょっと低かったから」と下に材をかませてビルドアップ。シンクの正面には、ごみ箱がすっぽり納まるサイズでカウンター兼作業台を作りつけ。さらにそのごみ箱には取っ手とキャスターをつけて、するする動かせるようにした。ここまではプロに助けてもらったが、その後、壁は自分で白く塗り、角材を床に敷きつめ(しかも斜めに)、お菓子教室の舞台となるスペースには自分で配線し照明器具を取りつけた。「でも、DIYが好きってわけじゃない。基本、ケチなんですね」とくすくす笑う。

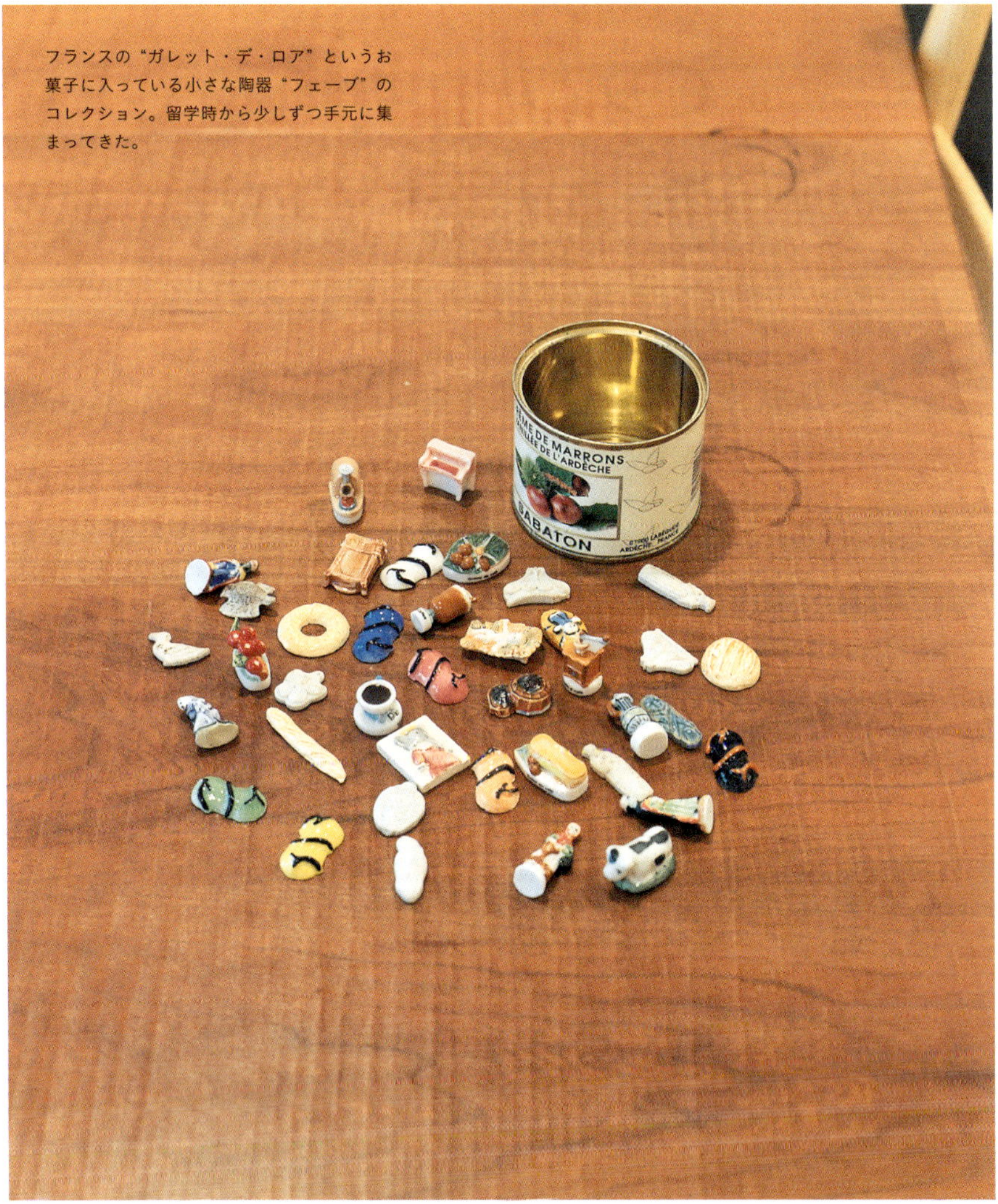

フランスの"ガレット・デ・ロア"というお菓子に入っている小さな陶器"フェーブ"のコレクション。留学時から少しずつ手元に集まってきた。

賃貸でここまでする人はめずらしいとおどろかれるが、使い勝手が悪いほうがムズムズしてしまうらしい。

包丁も必ず自分で研ぐ。包丁の刃はふつう根元が厚くて先に向かって薄くなっているが、お菓子を切るとき均一に切れるように、根元の厚みを取るように研いでいる。引き出しに並んだ包丁はどれも鋭く磨き上げられていて、柳瀬さんにはどこか職人さんのような潔さがあるのかもしれない。今の台所にはだいたい満足しているという。けれど話しているうちに、「やっぱりここ（シンク正面のカウンタートップ）はステンレスにしたほうがいいかな」とまだまだ台所作りは続きそう。理想の台所はというと、「給食室みたいな台所。仕事が終わったら、リーザー床も水で流せるような」だそうです。

なでて、さすって、かわいがる。
道具が胸を張る台所。

関 貞子

（ギャラリー経営）

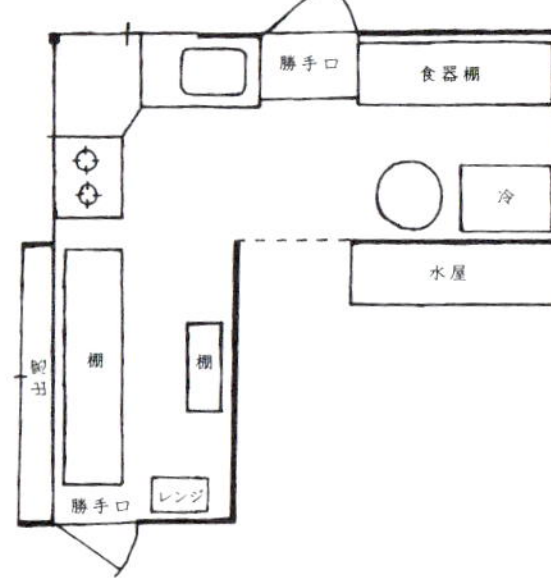

せき・さだこ／古民家を改装した自宅で4月から12月の1〜10日のみ『ギャラリー韓』をオープン。故郷のかめ“オンギ”や服などを通じて韓国という国を日本人に知ってもらいたいと思っている。写真上・リビングから台所を望む。手前にはふだん使いの器を重ねた大きな盆。右奥にはさらにたくさんの韓国、日本、作家もとりどりの器が詰まっている。

日本の古民家にはふしぎと韓国の家具が合う。
鴨居、柱には各地のほうきをぶらさげて。

粉引きにグレーの刷毛目が鮮やかな丸っこい器や大きさもさまざまな竹製のざる。自宅でギャラリーを営む関貞子さんの台所には「しっかり働いています」という顔をした道具が肩寄せあう。「しまっちゃうと忘れてしまうから」と、道具に関して関さんは出しておく主義だ。ひとかかえはありそうな大きな木の盆にふだん使いの器を重ねておく。シンクの脇には故郷・韓国で塩辛を漬けるために使われていたかめに菜箸やパガジと呼ばれるひょうたんで作ったひしゃくが立てられている。

韓国では、二日酔いの翌朝は「たくさんごはんを食べなさい」という伝統だから、夫が二日酔いの日にはせっせとナムルやスープを作る。そして冷蔵庫には、夫が育て、関さんが漬けた白菜のキムチが出番を待っている。「キムチ

はいつも真剣勝負。気力、体力が充実しているときに漬けないと失敗するの」。

　ふだん使う器は日本の作家物や韓国の骨董品。けれど、関さんはいたって無造作にガチャガチャ、暮らしの音をさせながらお膳の上に皿を並べてゆく。「どれも大切にしてるのよ。でも、使ってこそですから」と言いながら、茶碗の腹をひとさすり。昼食のビピンパをよそった。

右ページ・手作りのビビンバ。野菜をたっぷりとれるのも韓国料理のいいところ。左ページ・右上・菜箸などが入っているのは塩辛用のオンギ。オンギはキムチを漬けたり、穀物を保存したりするための大小さまざまな陶器のかめ。右下・ギャラリーは富士山を望む山裾にある。散歩して、花や姿のいい枝を探すのも楽しい。左上・右端にある丸っこいひしゃくがいっぱい。マッコリなどをすくう道具に。左下・関さんのお気に入りの韓国の骨董。

写真・稲葉宏爾

パリ編①

パリの新聞の名物コラムを読んで切り抜いて20年。

稲葉由紀子（エッセイスト）

いなば・ゆきこ／パリのビストロやお惣菜など、フランスの食文化を日本の雑誌に紹介している。パリ郊外の一軒家に住んでいるが、台所はコンパクト。「広くなくてもできること」を心がけて料理をしているのだそうだ。著書は『パリの朝市』（文化出版局）ほか、最新刊は『パリのお惣菜』（阪急コミュニケーションズ）。

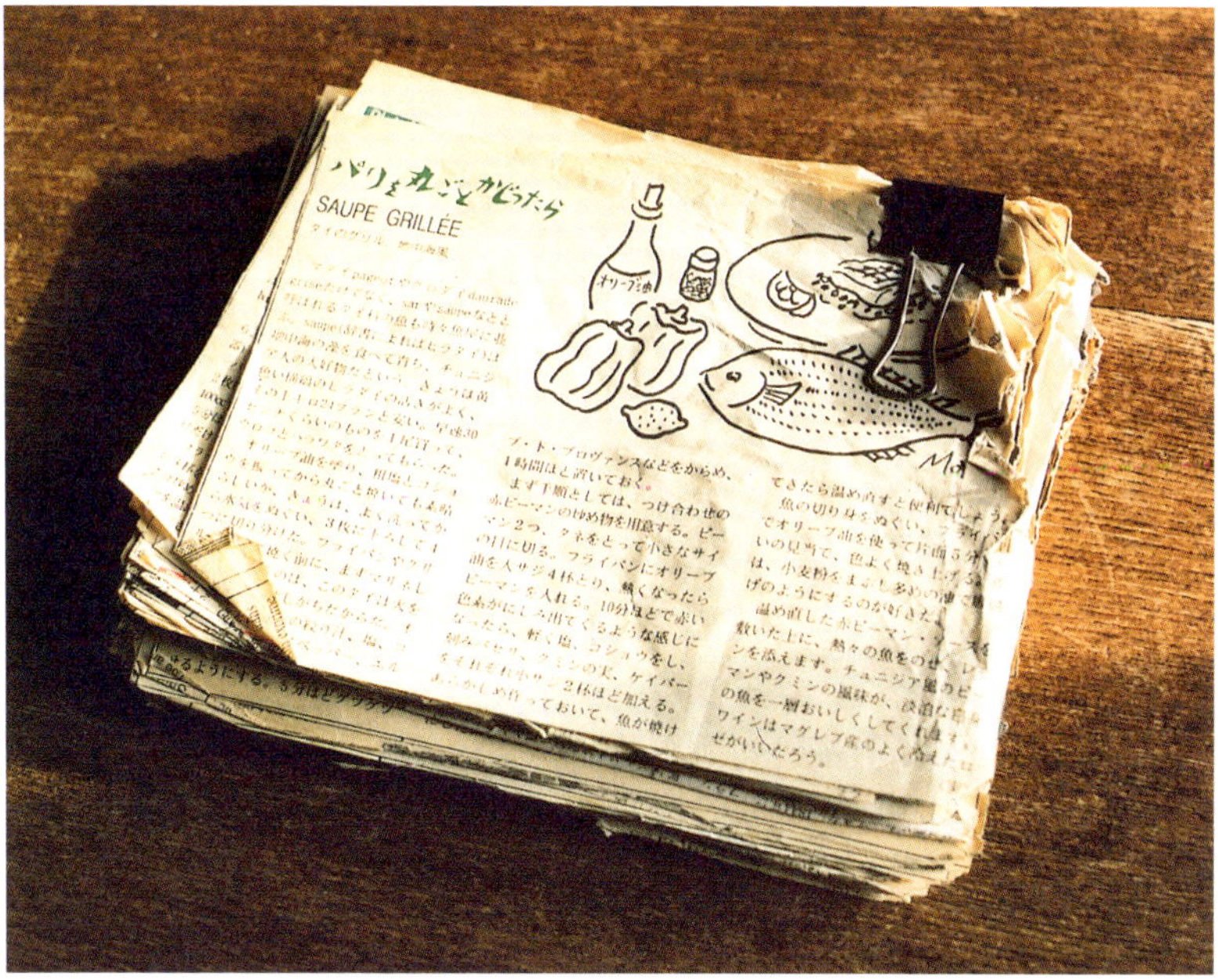

上・20年にわたって切り抜きをしている「パリを丸ごとかじったら」(パリのタウン紙『オヴニー』の20年以上続いている佐藤真さんの名物コラム)。肉、魚、お菓子、野菜編と、由紀子さんは別々にクリップしていた。右・リビングからはり出したテラスの先には庭が広がっている。クルミやキウイ、ブドウ、プラム、サクランボなど実のなる木をたくさん育てている。

フランスに住んで20年になる稲葉由紀子さん。パリに住む友人やパリに遊びにきた知人がレストランの味に飽きると、由紀子さんの手料理が食べたいと次々とやってくる。おかげで稲葉家の食卓にはいつも客人が絶えない。

家族のためのごはんを作るとき、由紀子さんは時間をかけることもかけないこともあるそうだが、料理のための新聞の切り抜きや日本の本は読みこまれ、どれも角が丸くなっていた。カリフォルニア米を炊いた日本のごはんはもちろん、子羊を使ったクスクスなどジャンルを問わずに作られる料理の数々。食事のあとは、フランスでは標準的だというふたつあるシンクの前に夫の宏爾さんと息子の文生さんが並んであと片付けをする。稲葉家にはおいしいシステムができているようだ。

パリ編②

電気とガスのコンロを使い分けて料理する。

宮脇 誠（古物商）

みやわき・まこと／住んでいるのは、官庁街の一角にあるアパート。ステューディオタイプの7階で、キッチンが独立してついている。窓からはパリの街並みが一望できる。6年前、パリにやってきてはじめて買ったものは、大工道具一式だったそうだ。仕事で日本とパリを行き来しているが、日本に戻ったときは米、みそ、醤油、酒、みりんを持ち帰る。

右・手前がコイルが巻いてある電気、奥はカセットタイプのガスコンロ。煮込みや炒め物など料理によって使い分けている。ガス用のカセットボンベは中華街で購入。左・お手製のスーパーマーケットの袋入れ。上から入れて下からとり出す仕組みだ。これは改良型。

パリで古物商を営む宮脇誠さんが料理の腕前を披露してくれたのは、『クウネル』の17号の「ただいま食事中」でのこと。カリフラワーをまるごと蒸し煮するなど繊細にして大胆なあのレシピはどんな台所から生まれるのかと訪ねてみた。「料理は好きです。外に行くより家でゆっくり食べたいので」と、家ではひと口の電気とガスのコンロを使い分けて料理をしていた。

木製の棚や壁に渡されたバー、調理台など台所の什器の多くが手作りだ。使いやすくするためにわずかなスペースにも工夫を凝らす。フックでつりさげられた鍋やフライパンが妙に高いところにあるのは、宮脇さんが背が高いので、台所の狭いスペースを高さでカバーしているのだった。いかにも働き者の台所という姿をしていた。

おわりに

この本を作るにあたり、訪ねたのは21人の台所です。シンクのごみ受けのふたを捨ててしまっていたり、システムキッチンの扉を白分でつけかえていたり、ほうぼうにひっかけ小道具を駆使していたりと、ひとつとして似たような台所はなく、どの台所の背景にも、人それぞれの哲学があらわれているようでした。意外にみえる工夫やこだわりは、自分の使いやすさ、つまり、使い勝手を追求してたどりついた結果。そして、その使い勝手は、料理をしていくうちにおのずとわかってくるもののようです。

それにしても、登場してくださった方々にとって、私たち「お勝手探検隊」はかなり怪しげな来客だったにちがいありません。台所におじゃましては、シンク下の扉を開けていただいたり、冷蔵庫の中身を見せていただいたり。ときには「そんなところまで!」という声があがったこともありましたっけ。おかげでこんなに楽しい台所の本ができあがりました。

使いこまれた台所からは、楽しげな音楽が聞こえてきます。お鍋からしゅうしゅう、包丁はトントトン、お皿ががちゃがちゃ、ときどきパリン!

みなさんの台所からも楽しげな音楽が流れてくることを願いつつ。

◇この本は、雑誌『クウネル』vol.25「料理上手の台所」の特集記事に加筆・訂正を加え、あらたに取材をした記事をあわせて構成しています。記事の中で紹介しております道具類は、個人の持ち物であるため詳細なデータは掲載を控えています。どうぞご了承ください。

◇クウネルのホームページでは、坂崎千春さんによるかんたんアニメーション「クウネルくん劇場」ほかさまざまなコンテンツを揃えています。
http://kunel.magazine.co.jp

写真―――――――――長野陽一、新居明子（P88～99）、
茂木綾子（P146～149）、石川美香（P66～67）
イラストレーション―――川原真由美
取材・文―――――――鈴木るみこ、クウネル編集部
アートディレクション――有山達也
デザイン―――――――岩渕恵子（アリヤマデザインストア）
校正―――――――――山根隆子（東京出版サービスセンター）
編集―――――――――太田祐子、戸田 史

ずらり 料理上手の台所

2007年9月20日　第1刷発行
2007年11月14日　第5刷発行

編者――――――お勝手探検隊
発行人―――――石﨑 孟
編集人―――――岡戸絹枝
発行所―――――株式会社マガジンハウス
〒104-8003　東京都中央区銀座3-13-10
電話　書籍営業部 03(3545)7175
編集部 03(3545)7060
印刷所・製本所――凸版印刷株式会社

ISBN978-4-8387-1809-2 C2077